# Le secret de Kergallen

# Nora Roberts

Le secret de Kergallen

*Collection :* NORA ROBERTS

*Titre original :* SEARCH FOR LOVE

*Traduction française de* AGATHE PASSANT

HARLEQUIN®
est une marque déposée par le Groupe Harlequin

ÉDITIONS HARLEQUIN
83-85, boulevard Vincent Auriol, 75646 PARIS CEDEX 13.
Service Lectrices — Tél. : 01 45 82 47 47
**www.harlequin.fr**
ISBN 978-2-2803-1461-9

# Chapitre 1

Le trajet n'en finissait pas, et Serenity, épuisée, n'en pouvait plus. Sa dispute de la veille au soir avec Tony n'arrangeait en rien son humeur. Cet épisode, ajouté au long vol de Washington à Paris et, maintenant, à ces heures interminables passées dans ce train surchauffé… Elle avait beau serrer les dents, son dynamisme habituel l'avait abandonnée. Au bout du compte, jugea-t-elle, misérable, elle faisait une piètre voyageuse.

Ce périple, qui la conduisait d'Amérique en Europe, avait déclenché l'ultime conflit entre Tony et elle. Leur relation était tendue et houleuse depuis des semaines, certes. En un an, ils avaient connu plusieurs querelles, surtout dues à son refus obstiné de céder au mariage qu'il lui proposait régulièrement, mais elles avaient toujours été sans conséquence. Tony la voulait, et sa patience semblait inépuisable. Jusqu'au jour où elle lui avait annoncé son départ. Il avait alors craqué, et la guerre avait commencé.

Pour s'achever hier, songea-t-elle, la scène de leur dispute toujours vive à ses oreilles.

— Tu ne peux pas t'envoler comme ça pour la

France, s'était-il exclamé. T'en aller voir une supposée grand-mère dont tu ignorais jusqu'à l'existence il y a encore deux semaines !

Il avait arpenté la pièce, son agitation visible dans la façon dont il laissait sa main ébouriffer ses cheveux blonds si bien coiffés d'ordinaire.

— Pour la Bretagne, avait-elle précisé. Et peu importe quand j'ai appris l'existence de ma grand-mère ; maintenant je sais qu'elle existe.

— Cette vieille bique t'envoie une lettre, affirme qu'elle est ta grand-mère, dit qu'elle veut te voir, et tu t'en vas, comme ça.

Devant son exaspération, elle s'était répété qu'il ne pouvait pas, rationnel comme il était, comprendre son impulsion. Alors, puisant dans ses ultimes ressources, elle s'était efforcée de plaider sa cause calmement.

— C'est la mère de ma mère, Tony, avait-elle avancé, la seule famille qui me reste, et j'ai l'intention d'aller la voir. Tu sais que j'envisage ce voyage depuis le jour où j'ai reçu sa lettre.

— Vingt-quatre ans sans le moindre mot et, tout à coup, cette sommation.

Il avait continué d'arpenter la grande pièce au plafond haut, puis il avait fait volte-face et fondu sur elle.

— Pourquoi tes parents ne t'ont-ils jamais parlé d'elle, bon sang ? Pourquoi a-t-elle attendu qu'ils soient morts pour te contacter ?

La flèche l'avait atteinte en plein cœur. Il ne

voulait pas être cruel, s'était-elle dit. Ce trait n'était pas dans sa nature, contrairement à la logique. Avocat, cartésien dans l'âme, Tony ne résonnait qu'en faits et chiffres. Il pouvait même ignorer la douleur sourde, profonde qui, deux mois après la mort brutale de ses parents, continuait de la faire souffrir. Savoir que ses mots n'étaient pas destinés à lui faire mal ne l'avait pas empêchée de s'emporter, et la dispute avait enflé jusqu'au moment où Tony était parti, la laissant seule, furieuse, en proie au pire ressentiment.

A présent, livrée aux soubresauts du train dans la campagne bretonne, elle était obligée de reconnaître qu'elle aussi avait des doutes. Pourquoi sa grand-mère, Françoise de Kergallen, cette inconnue comtesse bretonne, était-elle restée silencieuse pendant près d'un quart de siècle ? Pourquoi sa mère, son adorable, fragile et passionnément fantasque mère, n'avait-elle jamais évoqué de famille dans cette contrée lointaine ? Même son père, aussi fougueux, franc et direct qu'il avait été, n'avait jamais parlé de lien outre-Atlantique.

Ils avaient été si proches tous les trois, songea-t-elle avec un soupir mélancolique. Ils avaient fait tant de choses ensemble. Déjà, quand elle était enfant, ses parents l'emmenaient aux réceptions données chez les sénateurs, représentants du Congrès, ou ambassadeurs qui les invitaient.

Jonathan Smith avait été un peintre très recherché ; un portrait dessiné de sa main talentueuse, un bien prisé. Pendant plus de vingt ans, tout Washington s'était disputé ses commandes. Il était aimé et respecté, aussi bien en tant qu'homme qu'en tant qu'artiste ; et le doux charme, la grâce de Gaelle, sa femme, avaient fait d'eux un couple très apprécié des milieux les plus en vue de la capitale.

Lorsque Serenity avait grandi, et que ses dons artistiques s'étaient révélés, la fierté de son père n'avait connu aucune limite. Ils avaient dessiné et peint ensemble, d'abord comme maître et élève, puis en égaux, et les joies partagées de la création les avaient encore rapprochés.

La petite famille avait mené une existence idyllique dans leur élégante maison de Georgetown, une vie pleine d'amour et de rire, jusqu'au jour où l'univers de Serenity s'était effondré, en même temps que s'écrasait l'avion qui emportait ses parents en Californie. Elle avait d'abord refusé de croire qu'ils étaient morts et qu'elle était en vie, que les pièces aux plafonds hauts ne renverraient plus l'écho de la voix retentissante de son père ou le rire léger de sa mère. La maison était soudain devenue vide, à l'exception des souvenirs tapis dans chaque recoin comme des ombres.

Les deux premières semaines, elle n'avait pas supporté la vue d'une toile ou d'un pinceau, ni la perspective de monter au dernier étage, dans l'atelier où elle avait passé tant d'heures avec son père, où sa mère venait régulièrement leur rappeler que même les artistes avaient besoin de manger.

Lorsqu'elle avait enfin trouvé le courage de grimper l'escalier, de pénétrer dans la pièce inondée de soleil, elle avait été surprise de découvrir, au lieu de l'insupportable chagrin auquel elle s'attendait, une paix étrange, réconfortante. La chaleur du soleil se déversait par la verrière et les murs avaient conservé l'amour et les rires qu'ils avaient, un jour, contenus. Elle avait recommencé à vivre, à peindre, et Tony, par sa gentillesse constante, sa tendre discrétion, l'avait aidée à surmonter le vide causé par la perte de ses parents.

Puis la lettre était arrivée.

Laissant Georgetown et Tony derrière elle, elle s'était mise en quête d'une part d'elle-même, enracinée en Bretagne et détenue par une grand-mère inconnue. La lettre insolite, au ton protocolaire, qui l'avait conduite de l'animation familière des rues de Washington à l'inhabituelle campagne bretonne, était soigneusement glissée dans le sac de cuir posé à côté d'elle. Dépourvu d'affection, se limitant aux faits, le courrier s'achevait sur une invitation. Ou plutôt, se corrigea-t-elle, partagée entre l'amusement et la contrariété, sur ce qui ressemblait à une assignation royale. Elle aurait pu, par orgueil, mépriser l'injonction qui lui était ainsi faite, mais sa curiosité, son désir de connaître la famille de sa mère, l'avaient emporté. Son tempérament impulsif, combiné à son sens de l'organisation, avait fait le reste. Elle avait préparé son voyage, fermé la chère maison de Georgetown… et coupé les ponts avec Tony.

Le train, dans un concert de gémissements et de crissements récalcitrants, freina en gare de Lannion. Son excitation tempérée par le décalage horaire, elle attrapa ses bagages à main et descendit sur le quai. Posant son premier regard vraiment attentif sur le pays natal de sa mère, elle fut aussitôt subjuguée par la beauté naturelle, la douceur des couleurs, si particulières à cette région.

Le sourire qui effleurait ses lèvres entrouvertes, sa contemplation attentive, inspirèrent un léger mouvement de surprise à l'homme qui, un peu plus loin, l'observait. Avec curiosité, il prit le temps d'étudier la voyageuse. Sa grande et fine silhouette était drapée dans un tailleur bleu pastel dont la jupe flottait autour d'interminables jambes gracieuses. La brise qui jouait dans ses cheveux ensoleillés dégageait l'ovale d'un visage délicat. Ses yeux, remarqua-t-il, grands ouverts, étaient de la couleur du cognac et bordés de longs cils, d'une teinte plus sombre que la blondeur de ses cheveux. Sa peau semblait d'une incroyable douceur et aussi lisse que l'albâtre, deux caractéristiques qui lui donnaient l'allure éthérée, fragile et délicate, d'une élégante orchidée.

*Les apparences sont souvent trompeuses*, se dit-il, il le découvrirait bien assez vite.

Il approcha lentement, presque à contrecœur.

— Mademoiselle Serenity Smith ? s'enquit-il dans un anglais à peine teinté d'accent.

Serenity était si absorbée par la contemplation du paysage que le son de la voix dans son dos la fit sursauter. Repoussant une mèche de cheveux, elle se tourna vers l'inconnu. Surprise de lever la tête bien plus qu'elle n'en avait l'habitude pour s'adresser à quelqu'un, elle croisa un regard brun, ténébreux.

— Oui, répondit-elle, intriguée par l'étrange sensation que lui inspiraient ces yeux sombres. Vous êtes du château de Kergallen ?

Un seul de ses sourcils noirs se haussa, subrepticement.

— *Oui,* répondit-il en français. Je suis Christophe de Kergallen, chargé de vous conduire à la comtesse.

— De Kergallen ? répéta-t-elle, décontenancée. Un autre parent mystérieux ?

Le sourcil resta dressé, et elle vit les lèvres pleines, sensuelles, s'incurver imperceptiblement.

— On peut en effet considérer, *mademoiselle,* que nous sommes, d'une obscure façon, cousins.

— Cousins, murmura-t-elle tandis qu'ils se dévisageaient.

Ou, plutôt, qu'ils se jaugeaient, constata-t-elle en lui rendant le regard circonspect auquel il la soumettait.

Il avait de beaux cheveux noirs, assez longs pour effleurer le col de sa chemise, et ses yeux sombres, qui demeuraient imperturbables, semblaient presque d'ébène sur le bronzage de son visage. Ses traits tranchants évoquaient l'acuité du faucon. Ou celle du pirate, se reprit-elle, sensible à l'aura qu'il dégageait — une sorte de sauvagerie, dont l'intensité primitive et troublante l'attirait autant qu'elle la repoussait. Elle songea aussitôt à son carnet de croquis, curieuse de savoir si elle serait capable de saisir, avec du papier et un crayon, l'aristocrate brutalité qui émanait du personnage.

Et la froideur de son dédain, ajouta-t-elle en notant l'indifférence manifeste avec laquelle il soutenait son examen prolongé.

— Vos malles vont être transportées au château.

Il se pencha pour prendre la valise qu'elle avait posée sur le quai.

— Si vous voulez bien me suivre, la comtesse est impatiente de vous rencontrer.

Il se dirigea vers une berline noire, à la carrosserie parfaitement lustrée, l'aida à s'asseoir, puis s'en alla mettre ses bagages dans le coffre. D'abord intriguée par ses airs de noble et froide distinction, elle le regarda démarrer et se mettre en route sans un mot. Puis son silence l'irrita. Elle se tourna alors vers lui et le dévisagea ouvertement.

— Et comment se fait-il que nous soyons cousins ? s'enquit-elle tout en se demandant de quelle façon elle était censée l'appeler.

*Monsieur ? Christophe ? Hé, vous ?*

— Le premier mari de la comtesse, commença-t-il, le père de votre mère, est mort lorsque votre mère était enfant.

Il s'exprimait d'un ton poli, mais empreint d'une

légère lassitude, si bien qu'elle faillit lui demander de ne surtout pas se fatiguer en explications.

— Plusieurs années après, poursuivit-il, la comtesse a épousé mon grand-père, le comte de Kergallen, dont la femme était morte et l'avait laissé avec un fils, mon père.

Il lui jeta un bref regard.

— Votre mère et mon père ont donc été élevés comme frère et sœur au château. Mon grand-père est mort, mon père s'est marié, a vécu assez longtemps pour me voir naître, et s'est rapidement tué dans un accident de chasse. Ma mère l'a pleuré pendant trois ans, puis l'a rejoint dans la crypte familiale.

Il s'exprimait avec si peu d'émotion que la sympathie qu'elle aurait, en temps normal, éprouvée pour l'orphelin n'eut pas l'occasion de voir le jour. Elle observa son profil acéré un instant.

— Cela fait donc de vous l'actuel comte de Kergallen, observa-t-elle, et mon cousin par alliance.

Il lui jeta le même regard, bref et distant.

— *Oui*, répondit-il.

— Je ne peux vous dire à quel point ces deux faits me transportent, déclara-t-elle en cédant au sarcasme que son auguste distinction lui inspirait.

Elle crut déceler un brin d'humour dans son expression. Mais devant l'éclat sombre de son regard, totalement dépourvu de chaleur, elle se ravisa. De toute évidence, cet homme hautain et renfrogné ne riait jamais.

— Avez-vous connu ma mère ? lui demanda-t-elle en cédant à l'unique curiosité qui l'habitait.

— *Oui*. J'avais huit ans lorsqu'elle a quitté le château.

— Pourquoi est-elle partie ? ajouta-t-elle en dardant sur lui ses yeux d'ambre.

Cette fois, leurs regards se croisèrent, chargés de la même flamboyance, et elle eut le temps de se sentir transpercée avant qu'il ne reporte son attention sur la route.

— La comtesse vous dira ce qu'elle souhaite que vous sachiez.

— Ce qu'elle souhaite que je sache ? fit-elle, sidérée d'une telle rebuffade, et d'un mépris, qu'il ne prenait même pas la peine de dissimuler. Ecoutez-moi, *cousin*, et que les choses soient claires. J'ai l'intention de découvrir pourquoi ma mère a quitté la Bretagne et pourquoi j'ai passé ma vie à ignorer l'existence de ma grand-mère.

Il prit le temps d'allumer un petit cigare et d'exhaler paresseusement la fumée.

— Je ne peux strictement rien vous dire.

— Dites plutôt que vous ne voulez rien me dire, le reprit-elle sèchement.

Voyant ses larges épaules se soulever dans un geste de dédain très français, elle lui rendit la pareille, version américaine, et se tourna vers la fenêtre, ratant du même coup le léger sourire que sa réaction faisait naître sur ses lèvres.

Le trajet se poursuivit dans un silence uniquement interrompu par les questions qu'elle posait sur le paysage. Il répondait par des monosyllabes polis, sans déployer le moindre effort pour nourrir la conversation. En temps normal, le soleil radieux et le ciel limpide auraient suffi à adoucir l'humeur de Serenity, mais le voyage l'avait mise à mal et la froideur dédaigneuse et persistante de son chauffeur sapait son naturel joyeux.

— Pour un comte breton, vous parlez un anglais remarquable, observa-t-elle avec une amabilité feinte, après deux monosyllabes de trop.

Le sarcasme glissa sur lui, sans plus d'effet qu'une brise, et sa réponse survint, teintée de condescendance.

— La comtesse parle également très bien anglais, *mademoiselle*. Les domestiques, en revanche, ne pratiquent que le français ou le breton. En cas de difficulté, vous devrez donc vous tourner vers la comtesse ou moi-même.

Elle releva le menton avec fierté.

— *Ce ne sera pas nécessaire, monsieur le comte. Je parle bien le français.*

Il esquissa un vague sourire.

— *Parfait,* répliqua-t-il dans la même langue. *Cela rendra votre séjour moins compliqué.*

— *Le château est encore loin ?* demanda-t-elle, toujours en français.

En plus d'avoir chaud, elle se sentait fatiguée. Le long voyage et le décalage horaire lui donnaient l'impression d'être prisonnière d'un véhicule ou d'un autre depuis des jours. Elle avait hâte de se prélasser dans une baignoire stable, bien ancrée sur terre, et remplie d'eau chaude et moussante.

— Nous sommes sur les terres de Kergallen depuis un moment, *mademoiselle*, répliqua-t-il, concentré sur la route maintenant sinueuse. Le château n'est plus très loin.

La voiture entamait l'ascension d'une côte. En proie à un mal de tête naissant, Serenity ferma les yeux, regrettant que sa mystérieuse grand-mère n'habite pas un endroit plus accessible, comme l'Idaho ou le New Jersey, par exemple. Lorsqu'elle souleva les paupières, quelques instants plus tard, toutes ses souffrances, sa fatigue et ses lamentations s'envolèrent d'un coup.

— Stop ! s'écria-t-elle en posant une main sur le bras de son conducteur.

Le château, haut, fier et solitaire, se dressait devant eux. C'était un immense édifice de pierre surgi d'un autre siècle, tout en donjons, murs à créneaux, et toits d'ardoises d'un gris étincelant contre le bleu céruléen du ciel. La lumière déclinante du soleil se reflétait dans une myriade de couleurs sur les fenêtres nombreuses, étroites et hautes. Il était ancien, imposant, imprenable, et elle en tomba immédiatement amoureuse.

Christophe regarda la surprise et le plaisir se dessiner sur le visage de sa passagère. Elle ne lui prêtait plus aucune attention. Sa main, légère et chaude, était posée sur son bras, et une boucle de ses cheveux avait glissé sur son front. Il leva la main pour la repousser, mais se retint juste à temps.

Serenity était trop absorbée par le château pour avoir remarqué son geste. Elle s'interrogeait sur le meilleur angle pour le dessiner et imaginait les douves qui avaient dû, autrefois, l'entourer.

— Il est fabuleux, dit-elle enfin en se tournant vers son chauffeur.

Elle retira subitement sa main, surprise de la découvrir sur son bras.

— On dirait qu'il sort d'un conte de fées. Je peux presque entendre les trompettes, voir les chevaliers en armure et leurs dames en grande tenue et hennin de soie. Est-ce qu'il y a aussi un dragon dans les environs ?

Elle lui souriait à présent. Son visage, lumineux, était d'une beauté saisissante.

— Non, à moins de compter Marie, la cuisinière, répondit-il, oubliant un instant sa froide politesse.

Serenity eut le temps d'apercevoir un large et désarmant sourire éclairer ses traits, le rendant plus jeune et plus accessible.

*Il est humain, finalement.* Mais, en même temps qu'elle sentait son pouls réagir à ce brusque sourire, elle songea qu'il n'en était, sous cette forme, qu'infiniment plus dangereux. Elle ne pouvait toutefois détourner les yeux de son visage. Leurs regards s'étaient croisés et, tandis qu'ils se soutenaient, elle eut tout à coup l'étrange sensation d'être totalement seule avec lui, comme si le reste du monde s'était effacé pour les laisser tous les deux dans une intimité enchantée. Georgetown, tout à coup, lui paraissait à des années-lumière.

L'étranger froid et distant remplaça toutefois vite le charmant compagnon, et Christophe reprit la route, dans un silence d'autant plus glacial que le bref interlude avait été chaleureux.

*Fais attention*, s'admonesta-t-elle. *Ton imagination recommence à s'emballer. Cet homme n'est définitivement pas fait pour toi. Il ne t'apprécie même pas, et ce n'est pas un sourire furtif qui fait de lui autre chose qu'un aristocrate insensible et condescendant.*

Il s'arrêta au bout d'une large allée circulaire, devant une cour pavée dont les petits murets de pierre débordaient d'une multitude de jolies petites fleurs, et descendit de voiture avec agilité. Peu encline à se faire aider, elle s'empressa de l'imiter, trop envoûtée par l'atmosphère de conte de fées pour remarquer la grimace contrariée que sa rapidité inspirait à Christophe.

Lui prenant le bras, il l'entraîna sur le perron de granite, jusqu'à une imposante porte de chêne. La main sur la poignée de cuivre étincelante, il s'inclina légèrement et l'invita à entrer.

Le vestibule qui s'ouvrit devant elle était immense. Le sol, lustré comme un miroir, était couvert de magnifiques tapis et les murs, lambrissés, étaient ornés de gigantesques tapisseries, aussi incroyablement anciennes que vivement colorées. Une grande étagère et une table de chasse, toutes deux de chêne massif et polies par les ans, ainsi que des fauteuils sculptés, composaient le mobilier. Un parfum de fleurs coupées embellissait encore la pièce, qui lui sembla... étrangement familière. Comme si Serenity avait su à quoi s'attendre en franchissant le seuil, comme si les lieux l'avaient reconnue et accueillie.

— Quelque chose ne va pas ? lui demanda Christophe, qui avait dû remarquer son trouble.

Elle frissonna légèrement.

— *Une impression de déjà-vu*, murmura-t-elle avant de se tourner vers lui. C'est très curieux ; j'ai la sensation de m'être déjà trouvée ici.

Elle sursauta.

— Avec vous, ajouta-t-elle, décontenancée.

Elle laissa échapper un soupir.

— C'est très étrange, conclut-elle en haussant les épaules, agacée.

— Alors tu l'as amenée, Christophe.

Elle s'arracha au regard tout à coup intense posé sur elle pour voir sa grand-mère approcher.

La comtesse de Kergallen était grande et presque aussi svelte qu'elle. Ses cheveux, d'un blanc pur et lumineux, auréolaient un visage fin, dont les traits anguleux contrastaient avec le doux réseau de rides laissé par l'âge. Ses yeux étaient clairs, d'un bleu perçant sous des sourcils parfaitement dessinés, et son maintien, altier, était celui d'une femme dont la beauté restait intacte, bien qu'elle ait vécu plus de six décennies, et qui le savait.

*Cette dame est comtesse jusqu'au bout des ongles.*
Et ses yeux vifs la détaillaient, lentement, de la tête aux pieds. Elle surprit une émotion fugace sur son visage, mais il reprit vite son expression impassible et circonspecte, et la comtesse lui tendit une main élégante.

— Bienvenue au château de Kergallen, Serenity Smith. Je suis *Mme la comtesse Françoise de Kergallen.*

Serenity accepta la main tendue, en se demandant, un peu désarçonnée, si elle devait faire la révérence. Mais le contact bref et formel — ni étreinte affectueuse ni sourire chaleureux — l'empêcha de s'interroger trop longtemps. Elle ravala sa déception et répondit avec le même formalisme.

— Merci, *madame.* Je suis heureuse d'être ici.

— Vous devez être fatiguée après votre voyage, déclara la comtesse. Je vais vous conduire à votre chambre. Vous avez certainement besoin de repos avant de vous changer pour le dîner.

La voyant s'éloigner vers un bel escalier incurvé, Serenity s'empressa de la suivre, ne s'arrêtant que brièvement à l'étage pour jeter un regard en arrière.

Christophe l'observait, le regard sombre et inquiétant. Comme il ne faisait rien pour adoucir son expression, ou détourner les yeux, elle fit rapidement volte-face et se dépêcha de rejoindre la comtesse.

Elle franchit avec elle un long couloir étroit, agrémenté de lampes de cuivre, accrochées aux murs à intervalles réguliers. Elle imaginait les torches qui, un jour, avaient dû servir d'éclairage quand la comtesse s'arrêta devant une porte pour se tourner vers elle. Après l'avoir de nouveau attentivement examinée, elle ouvrit le battant et l'invita à entrer.

La chambre, malgré ses proportions impressionnantes, dégageait un charme délicat. Le mobilier était en merisier laqué. Un superbe lit à baldaquin — orné d'un couvre-lit brodé au petit point — dominait tout l'espace. Face à lui trônait une cheminée de pierre dont le manteau richement sculpté supportait un grand miroir dans lequel se reflétait une collection de figurines de Dresde. Le mur du fond, arrondi, s'ouvrait sur une belle et large fenêtre dans l'embrasure de laquelle une banquette tapissée invitait à s'asseoir et admirer la vue époustouflante qui s'étendait au-delà.

Serenity, qui avait tout de suite reconnu l'élégance subtile de la décoration, et submergée par une bouffée d'amour et de bonheur, se sentit aussitôt attirée à l'intérieur de la pièce.

— C'était la chambre de ma mère, dit-elle, émue.

L'émotion qu'elle avait un peu plus tôt surprise sur le visage de sa grand-mère réapparut pour s'éteindre aussi vite que la flamme d'une bougie soufflée par une bourrasque.

— *En effet,* déclara la comtesse, imperturbable. Gaelle l'a décorée elle-même lorsqu'elle avait seize ans.

— Je vous remercie de me l'avoir attribuée, *madame.*

La froideur de sa grand-mère ne pouvait dissiper l'impression que lui inspirait la chambre, et elle sourit.

— Je vais me sentir près d'elle durant mon séjour.

La comtesse se contenta d'opiner et pressa un petit bouton à côté du lit.

— Bridget va faire couler votre bain. Vos malles ne vont pas tarder à arriver, elle s'occupera de les défaire. Nous dînons à 20 heures, à moins que vous ne souhaitiez un rafraîchissement dès maintenant.

— Non merci, *comtesse*, répondit-elle avec le sentiment de plus en plus net de n'être qu'une étrangère reçue dans un hôtel parfaitement dirigé. 20 heures, ce sera parfait.

La comtesse s'éloigna vers la porte.

— Bridget vous conduira dans le salon après que vous vous serez reposée. Nous prenons l'apéritif à 19 h 30. Si vous avez besoin de quelque chose d'ici là, il vous suffit de sonner.

Restée seule, Serenity poussa un profond soupir et s'assit lourdement sur le lit.

*Pourquoi suis-je venue ?* se demanda-t-elle en fermant les yeux sur le sentiment terrible de solitude qui l'accablait. *J'aurais dû rester à Georgetown, avec Tony, dans mon univers. Qu'est-ce que je viens chercher ici ?*

Elle souleva les paupières et regarda de nouveau autour d'elle.

*C'est la chambre de ma mère*, se dit-elle en même

temps qu'une vague de réconfort la submergeait. *Je n'y suis pas une étrangère.*

Elle se leva et, à travers la fenêtre, regarda le jour décliner. Le soleil, dans un ultime et splendide embrasement, cédait au crépuscule. Un vent léger agitait les arbres, et les quelques nuages dispersés qu'il emportait avec lui glissaient paresseusement sur le velours du ciel.

Un château de légende perché sur une colline en Bretagne…

Avec un hochement de tête, elle s'agenouilla sur la banquette et admira la tombée de la nuit.

Où était sa place dans ce paysage ?

*Quelque part.* Elle plissa le front, frappée par la réflexion qui semblait surgir du plus profond d'elle-même autant que de la pièce qui l'entourait.

Elle appartenait à cet endroit. Une part d'elle-même en tout cas. Elle l'avait senti à l'instant où elle avait levé les yeux sur ces incroyables murs de granite, et puis lorsqu'elle était entrée dans le vestibule.

Chassant le souvenir de cette impression étrange, elle se concentra sur sa grand-mère.

Celle-ci n'était certainement pas émue par leur rencontre, se dit-elle avec tristesse. A moins que sa froideur ne soit due aux coutumes européennes… Pourquoi pas ? tenta-t-elle de se rassurer. Il était en effet absurde de croire que sa grand-mère ne voulait pas la rencontrer. Pourquoi l'aurait-elle invitée, sinon ? Serenity s'attendait à plus parce qu'elle espérait plus.

Ses épaules s'affaissèrent légèrement.

La patience n'avait jamais été la première de ses qualités. Peut-être devrait-elle apprendre à la cultiver. D'un autre côté, si on l'avait accueillie à la gare un tout petit peu plus chaleureusement, peut-être que…

Le souvenir du comportement de Christophe fit naître un nouveau pli sur son front.

Elle aurait juré que, à la seconde où il l'avait vue, il l'aurait volontiers remise dans le train. Et puis, il y avait eu cette conversation énervante dans la voiture… Contrariée, elle en oublia la tranquille montée du crépuscule.

Cet homme était exaspérant.

Il incarnait aussi, songea-t-elle en glissant vers la rêverie, l'archétype du comte breton. C'était peut-être pour cela qu'il la troublait tellement.

Le menton sur la paume, elle se souvint du frémissement qui s'était produit entre eux au moment où ils s'étaient arrêtés, dans l'ombre du château.

Il ne ressemblait à aucun autre. Distingué et primitif à la fois, raffiné et brutal. Il y avait, dans cette contradiction, une virilité, une fougue qu'elle devinait contenue sous le vernis du raffinement. De la *puissance* !

Le terme la surprit tellement qu'elle plongea dans un abîme de réflexion.

Oui, fut-elle forcée d'admettre avec un agacement qu'elle ne s'expliquait pas, il dégageait de la puissance, une force qui exprimait l'essence même de l'assurance.

Il constituait, pour un artiste, un sujet d'étude formidable.

C'était d'ailleurs en tant qu'artiste qu'il l'attirait, en aucun cas en tant que femme. Il faudrait être folle pour vouloir un homme comme lui.

Oui, complètement folle.

## Chapitre 2

Le grand miroir ovale, une psyché à la dorure délicate, lui renvoyait l'image d'une jeune femme blonde à la silhouette élancée. La couleur cendre de rose de sa robe fluide au col montant donnait un éclat crémeux à ses épaules et ses bras nus.

Concluant son examen sur le reflet de ses yeux d'ambre, Serenity soutint son propre regard et soupira. Il était temps pour elle de rejoindre la comtesse — son imposante et distante grand-mère — et le comte, son cousin affecté et curieusement hostile à son égard.

Ses malles étaient arrivées pendant qu'elle profitait du bain préparé par la jeune femme de chambre bretonne. Bridget avait défait et sorti ses vêtements, d'abord timidement, puis en s'animant joyeusement au sujet des articles qu'elle suspendait dans la grande armoire ou qu'elle rangeait, soigneusement pliés, dans l'antique commode. Comparés à la froideur des membres de sa famille, son bavardage incessant et son amitié facile lui avaient fait l'effet d'un saisissant contraste.

Sa tentative de sieste entre les draps de lin frais

du lit à baldaquin s'était malheureusement soldée par un échec. Trop d'émotions l'agitaient. L'étrange sensation qu'elle avait éprouvée dans le vestibule, l'accueil si peu chaleureux de sa grand-mère, la force de sa réaction physique au comte dédaigneux, tout s'était ligué contre elle pour la rendre inhabituellement nerveuse et peu sûre d'elle. Elle se surprit, une fois de plus, à regretter de n'avoir pas laissé Tony l'influencer et d'avoir, un peu rapidement, quitté un environnement familier, composé de gens qu'elle connaissait et comprenait.

Avec un nouveau soupir, elle redressa les épaules et se ressaisit. Elle n'était plus une collégienne naïve, se rabroua-t-elle. Elle avait passé l'âge de se laisser intimider par les châteaux, les grands airs et le protocole. Elle était Serenity Smith, la fille de Jonathan et Gaelle Smith, et c'était la tête haute qu'elle allait affronter comte et comtesse réunis.

Bridget frappa discrètement à sa porte. Après un dernier regard à sa tenue, elle suivit la jeune femme de chambre le long du couloir étroit et s'engagea, pleine d'assurance, dans la descente du bel escalier.

— *Bonsoir*, mademoiselle Smith.

Le salut de Christophe, marqué de l'affectation à laquelle elle s'attendait, la cueillit au bas des marches, où Bridget effectua une rapide et discrète retraite.

— *Bonsoir*, monsieur le comte, répondit-elle sur le même ton, tandis qu'ils échangeaient un nouveau regard méfiant.

La couleur sombre de son costume de soirée

donnait un air diabolique à ses traits aquilins. L'éclat de ses yeux semblait de jais, et le bronze de sa peau paraissait encore plus mat contre le blanc éclatant de sa chemise. S'il comptait des flibustiers parmi ses ancêtres, ceux-ci ne devaient pas manquer d'allure. Et, si elle se fiait au regard appuyé qu'il faisait peser sur elle, ils devaient aussi connaître, et maîtriser, tous les aspects de la piraterie.

— La comtesse nous attend dans le salon, déclara-t-il lorsqu'il eut jugé bon de mettre un terme à son examen approfondi.

Il lui offrit le bras, avec une galanterie inattendue, et l'entraîna avec lui.

La comtesse les regarda entrer. Lui, grand et altier, elle, blonde et élancée, qui le mettait parfaitement en valeur. Ils formaient un couple remarquable, se dit-elle, de ceux qui attirent tous les regards.

— *Bonsoir,* Serenity, Christophe.

Serenity salua sa grand-mère. La comtesse de Kergallen, dans sa robe bleu saphir, le cou orné de diamants scintillants, offrait l'image d'une resplendissante majesté.

— *Mon apéritif,* Christophe, *s'il te plaît.* Et pour vous, Serenity ?

— Un vermouth, *madame.* Merci, répondit-elle en affichant le sourire de circonstance requis.

— Vous vous êtes bien reposée, j'espère ? s'enquit aimablement la comtesse en prenant le petit verre de cristal que Christophe lui tendait.

— Oui, très bien, *madame.*

Elle se tourna pour accepter son vin liquoreux.

— Je…

Les mots convenus qu'elle s'apprêtait à prononcer moururent dans sa gorge. Un instant figée, elle se tourna tout à fait pour contempler le portrait qu'elle venait d'apercevoir.

Depuis son cadre, une jeune femme blonde, à la peau claire, lui renvoyait le reflet… de sa propre image. A l'exception de la longueur des cheveux, dont le blond soyeux descendait jusqu'aux épaules, et des yeux d'un bleu profond au lieu de l'ambre, ce portrait était en effet le sien ! Sauf qu'elle reconnaissait très bien, dans l'ovale délicat du visage, les courbes douces, la bouche bien dessinée aux lèvres pleines, la fragile, l'insaisissable beauté de sa mère, peinte à l'huile un quart de siècle plus tôt.

Le travail de son père, comprit-elle aussitôt. Le coup de pinceau, le jeu des couleurs, la technique trahissaient Jonathan Smith aussi sûrement que si elle avait vu sa signature dans le coin en bas. Elle repoussa les larmes qui lui montaient aux yeux. Ce portrait était si expressif et tellement naturel que, durant quelques secondes, il avait ramené ses parents à la vie, et elle était à présent submergée d'une affection, d'un attachement pénétrant desquels elle apprenait tout juste à se passer.

Elle poursuivit son examen, s'absorbant dans les détails du travail de son père. Les plis aériens du blanc nacré de la robe, les rubis scintillants des boucles d'oreilles, le vif contraste de couleurs discrètement repris dans la pierre de la bague que sa mère portait à son doigt... Quelque chose la titillait, un détail qu'elle n'arrivait pas à saisir, mais qui s'effaça avant qu'elle ne puisse l'identifier.

— Votre mère était une très belle femme, remarqua la comtesse dans son dos.

— Oui, répondit-elle distraitement, encore envahie par l'amour et le bonheur qui rayonnaient dans les yeux posés sur elle. C'est incroyable comme elle a peu changé depuis que mon père a fait ce portrait. Quel âge avait-elle ?

— A peine vingt ans, répondit la comtesse d'un ton frisant la brusquerie. Vous avez vite reconnu la main de votre père.

— Bien sûr, avoua-t-elle.

Ignorant la sécheresse de sa grand-mère, elle se tourna vers elle, un sourire franc et chaleureux aux lèvres.

— Je suis sa fille et, en tant qu'artiste moi-même, je reconnais son travail aussi bien que son écriture.

Elle revint au portrait qu'elle désigna du doigt.

— Ce tableau a vingt-cinq ans et il n'a rien perdu de sa vitalité ; on a l'impression qu'ils sont tous les deux dans cette pièce.

— Votre ressemblance est saisissante, observa Christophe.

A côté de la cheminée, il buvait tranquillement une gorgée de son vin. Mais il aurait aussi bien pu la toucher, tant sa voix lui semblait pénétrante.

— Elle m'a frappé lorsque vous êtes descendue du train, poursuivit-il.

— A part les yeux, intervint la comtesse. Vous avez les yeux de votre père.

Cette fois, l'amertume était évidente et Serenity fit volte-face, son geste vif accompagné par le mouvement paresseux de sa robe.

— Oui, *madame*, répliqua-t-elle en considérant la comtesse sans équivoque. J'ai les yeux de mon père. Cela vous déplaît-il ?

Sa question fut balayée d'un haussement d'épaules élégant, et la comtesse, visiblement décidée à ne pas lui répondre, souleva son verre et but une gorgée.

— Est-ce que mes parents se sont connus ici, au château ? reprit Serenity, gagnée par l'impatience. Pourquoi sont-ils partis et ne sont-ils jamais revenus ? Pourquoi ne m'ont-ils jamais parlé de vous ?

Elle dévisagea ses hôtes tour à tour, mais ne croisa que des expressions figées, froides et muettes. La comtesse avait dressé un bouclier autour d'elle et, de toute évidence, Christophe l'aiderait à le maintenir en place. Il ne lui dirait rien. Comprenant que les seules réponses lui viendraient de la vieille dame, elle ouvrit la bouche, mais une main impérieuse lui coupa la parole.

— Nous évoquerons tout cela bien assez tôt, trancha la comtesse d'un ton royal en se levant. Il est temps de passer à table.

La salle à manger était aussi imposante que le reste du château, mais Serenity avait décidé ne pas se laisser impressionner. Aussi posa-t-elle un œil détaché sur le plafond de cathédrale à la charpente apparente, les murs sombres et lambrissés, les hautes fenêtres, et les épais rideaux de velours de la couleur du sang. Une cheminée, assez haute pour qu'on y tienne debout, occupait un mur entier. Les flambées devaient offrir un spectacle éblouissant. Mais, pour l'heure, la pièce était éclairée par un superbe lustre, dont les multiples perles de cristal créaient en frémissant de minuscules arcs-en-ciel sur le chêne sombre et majestueux du mobilier.

Le repas débuta sur une soupe à l'oignon, épaisse, riche — typiquement française — qu'ils dégustèrent autour d'une conversation polie. Serenity jeta un coup d'œil sur Christophe, intriguée malgré elle par son charme ténébreux et son allure hautaine.

Il était évident qu'il ne l'appréciait pas, et son hostilité avait commencé à l'instant même où il avait posé les yeux sur elle, sans qu'elle sache pourquoi.

*Peut-être n'aime-t-il pas les femmes*, se dit-elle en goûtant son saumon à la crème.

Elle releva la tête, pour croiser son regard, et eut l'impression d'être transpercée par la foudre. Sentant son cœur bondir, comme s'il avait voulu lui échapper, elle baissa vivement les yeux sur son verre de vin blanc.

*Non*, se corrigea-t-elle, *il n'a rien contre les femmes*. Ces yeux pleins d'expérience en témoignaient.

Tony ne lui avait jamais produit un tel effet.

Mal à l'aise, elle prit son verre et but une gorgée.

Personne ne l'avait jamais fait réagir de cette façon.

— Stevan, lança la comtesse, *du vin pour mademoiselle.*

L'ordre de la comtesse au domestique la tira de ses réflexions.

— *Non, merci. J'ai tout ce qu'il me faut.*

— Vous parlez très bien français pour une Américaine, observa la vieille dame. Je suis heureuse de constater que vous avez reçu une bonne éducation, bien que vous soyez née dans ce pays barbare.

Le mépris de ses derniers mots était si manifeste qu'elle ne sut pas si elle devait se sentir insultée ou amusée.

— Ce pays « barbare », *madame*, s'appelle les Etats-Unis, répliqua-t-elle, et il est à peu près civilisé aujourd'hui. En fait, il se passe même des semaines sans que les Indiens nous attaquent.

La tête orgueilleuse se redressa avec autorité.

— Inutile d'être insolente, jeune femme.

— Vraiment ? demanda-t-elle avec un sourire ingénu. C'est curieux, il m'avait semblé le contraire.

Elle surprit, en prenant son verre et à son plus grand étonnement, le grand et lumineux sourire qui traversait le visage de Christophe.

— Vous avez peut-être les agréables traits de votre mère, observa la comtesse, pincée, mais vous avez la langue de votre père.

— Merci, répliqua-t-elle en saluant les yeux bleus qui la considéraient avec sévérité. Pour ce double compliment.

Jusqu'à la fin du repas, la conversation roula sur des sujets neutres et sans importance. Mais au moment de quitter la table, si le dîner avait pris des allures de trêve, Serenity continuait de s'interroger sur les raisons de la guerre.

Au salon, Christophe s'installa dans un fauteuil confortable et fit nonchalamment tourner son cognac entre ses mains, tandis qu'elle buvait un café avec la comtesse dans de fragiles tasses en porcelaine de Chine.

— Jean-Paul Le Goff, le fiancé de Gaelle, a rencontré Jonathan à Paris, commença la comtesse sans le moindre préambule.

Serenity sursauta, la tasse au bord des lèvres, et tourna les yeux vers le visage anguleux.

— Impressionné par le talent de votre père, poursuivit la vieille dame sans trahir la moindre émotion, Jean-Paul lui a demandé de faire le portrait de votre mère, pour le lui offrir en cadeau de mariage.

— Ma mère était fiancée à un autre avant d'épouser mon père ? demanda-t-elle, sidérée, en posant sa tasse avec le plus grand soin.

— *Oui*. Les fiançailles étaient convenues de longue date ; cet arrangement satisfaisait Gaelle. Jean-Paul était un homme bien, issu d'une bonne famille.

— C'était un mariage arrangé ?

La comtesse balaya l'aversion de Serenity d'un revers de la main.

— C'est une vieille coutume et, comme je l'ai dit,

cet arrangement satisfaisait Gaelle. Mais l'arrivée de Jonathan Smith au château a tout bouleversé. Si je m'étais montrée plus vigilante, j'aurais saisi le danger, vu les regards qu'ils échangeaient tous deux, surpris le rose qui montait aux joues de ma fille dès que l'on prononçait le nom du peintre.

Françoise de Kergallen poussa un profond soupir et leva les yeux sur le portrait qui les contemplait sereinement.

— Je n'ai jamais imaginé qu'elle puisse rompre son engagement, et jeter le déshonneur sur la famille. Elle avait toujours été une enfant adorable et obéissante. Votre père l'a rendue aveugle à son devoir.

Les yeux bleus glissèrent du tableau sur elle.

— Je n'avais aucune idée de ce qui s'était passé entre eux. Contrairement à son habitude, ma fille ne s'est pas confiée à moi, ne m'a demandé aucun conseil. Le jour où le portrait a été terminé, Gaelle s'est évanouie dans le jardin. Lorsque j'ai insisté pour faire venir le médecin, elle m'a dit qu'elle n'en avait pas besoin. Elle n'était pas malade, mais enceinte.

Un silence lourd et pesant s'abattit sur la pièce. Serenity le rompit, d'une voix claire et posée.

— *Madame*, si vous comptez heurter ma sensibilité en me disant que j'ai été conçue avant le mariage de mes parents, je suis navrée de vous décevoir. L'époque n'est plus à la lapidation ou au fer rouge, dans mon pays du moins. Mes parents s'aimaient, qu'ils aient exprimé cet amour avant ou après l'échange de leurs vœux ne me concerne pas.

La comtesse s'adossa à son fauteuil et, croisant les doigts, l'observa avec attention.

— Vous êtes très franche, *n'est-ce pas*?

— Oui, je le suis, répondit-elle en soutenant son regard. J'essaie toutefois d'éviter que ma franchise ne soit blessante.

— *Touché*, murmura Christophe en s'attirant un regard imperceptiblement réprobateur de la comtesse, avant qu'elle ne repose les yeux sur Serenity.

— Votre mère était mariée depuis un mois, déclara-t-elle, placide. Ils s'étaient mariés en secret dans la petite chapelle d'un village voisin, pensant garder la nouvelle pour eux jusqu'au jour où votre père aurait été en mesure d'emmener Gaelle avec lui en Amérique.

— Je vois, fit-elle avec un sourire en s'adossant à son tour. Mon existence a précipité les choses. Et qu'avez-vous fait, *madame*, en découvrant que votre fille s'était mariée et portait l'enfant d'un obscur artiste?

— Je l'ai reniée, je leur ai dit de quitter ma maison. A partir de ce jour, je n'avais plus de fille.

Elle avait parlé très vite, comme pour se débarrasser d'un poids depuis longtemps insupportable.

Un gémissement franchit les lèvres de Serenity. Malgré elle, ses yeux cherchèrent le secours de Christophe, mais se heurtèrent à un mur. Transpercée d'une profonde douleur, elle se leva lentement et, tournant le dos à la comtesse, chercha le sourire réconfortant de sa mère.

— Je ne suis pas étonnée qu'ils vous aient chassée de leur vie et tenue à l'écart de la mienne.

Elle fit volte-face et affronta la comtesse dont le visage, à l'exception de sa pâleur évidente, restait de marbre.

— Je suis désolée pour vous, *madame.* Vous vous êtes privée d'un immense bonheur. En les chassant, vous vous êtes retrouvée seule et abandonnée. Mes parents partageaient un amour profond, tandis que vous vous êtes cloîtrée dans l'orgueil de l'amour-propre blessé. Ma mère vous aurait pardonné ; si vous la connaissiez vraiment, vous l'auriez su. Mon père vous aurait pardonné lui aussi, pour elle, parce qu'il ne pouvait rien lui refuser.

— Me pardonner ? s'exclama la comtesse.

Une vive rougeur avait remplacé la pâleur de son visage et son intonation distinguée vibrait maintenant de colère et de stupeur.

— Qu'ai-je à faire du pardon d'un voleur et d'une fille qui a trahi son rang, sa parole et son héritage ?

Serenity, le rouge aux joues, maîtrisa sa fureur.

— Un voleur ? fit-elle, glaciale. Insinuez-vous, *madame*, que mon père vous a volée ?

— *Oui,* il m'a volée.

Le regard était aussi dur que la réponse.

— Non content de me voler ma fille, l'enfant que j'aimais plus que tout au monde, il a dérobé la Madone de Raphaël que possédait ma famille depuis des générations. Deux trésors inestimables, tous deux irremplaçables, et tous deux perdus à cause d'un homme auquel j'ai fait confiance et que j'ai stupidement accueilli chez moi.

— Un Raphaël ? répéta-t-elle en portant une main incrédule et confuse à sa tempe. Vous prétendez que mon père aurait volé *un Raphaël* ? Vous devez être folle.

— Je ne prétends rien, corrigea la comtesse en se dressant avec la fierté d'une reine sur le point d'infliger une sentence. J'affirme que Jonathan Smith a pris Gaelle *et* la Madone. Il était très intelligent. Il savait que je voulais faire don du tableau au musée du Louvre, et il m'a proposé de le restaurer. Je lui ai fait confiance. Il a abusé cette confiance, poursuivit-elle, un masque de sang-froid impénétrable sur le visage. Il a détourné ma fille de son devoir, et quitté le château avec mes deux trésors.

— C'est un mensonge ! s'écria Serenity, révoltée. Mon père n'aurait jamais volé, jamais ! Vous avez perdu votre fille à cause de votre orgueil et de votre seul aveuglement.

— Et la Madone ?

La question, posée d'une voix tranquille, résonna dans la pièce.

— Je n'ai pas la moindre idée de ce qui est arrivé à votre Raphaël.

Son regard passa de la femme inflexible à l'homme imperturbable, et elle se sentit soudain écrasée par un terrible sentiment de solitude.

— Mon père ne l'a pas pris ; ce n'était pas un voleur, répéta-t-elle. Il n'a jamais rien fait de malhonnête.

Elle arpentait désormais la pièce, luttant contre sa fureur et l'envie de faire voler leur mur de froideur en éclats.

— Si vous étiez tellement certaine qu'il avait pris votre précieux tableau, reprit-elle, pourquoi n'avez-vous pas appelé la police et prouvé son forfait ?

— Comme je l'ai dit, répliqua la comtesse, votre père était très intelligent. Il savait parfaitement que je n'impliquerais pas ma fille dans un scandale pareil. Quelle que soit la trahison qu'elle m'ait infligée, avec ou sans mon consentement, il était son mari et le père de l'enfant qu'elle portait. Il était à l'abri.

Interrompant sa furieuse déambulation, Serenity fit volte-face, incrédule et consternée.

— Vous croyez que mon père a épousé ma mère pour assurer sa propre sécurité ?

C'était le comble !

— Vous n'avez aucune idée de ce qu'ils partageaient. Il l'aimait plus que sa vie, plus que des centaines de Raphaël.

— Quand j'ai découvert la disparition du tableau, poursuivit la comtesse comme si Serenity n'avait strictement rien dit, je suis allée voir votre père et je lui ai demandé des explications. Ils se préparaient déjà à partir. Lorsque je l'ai accusé d'avoir pris le tableau, j'ai vu le regard qu'ils échangeaient — lui, cet homme auquel j'avais fait confiance, et ma propre fille. J'ai compris qu'il avait la peinture, que Gaelle le savait, mais qu'elle le soutiendrait contre moi. Elle ne trahissait pas seulement ce qu'elle était, mais aussi sa famille et son pays.

Ces derniers mots s'achevèrent dans un souffle, et une brève grimace de douleur s'imprima sur le visage sévèrement contrôlé.

— Tu as assez parlé de cette histoire pour ce soir, intervint Christophe en se levant pour servir un verre de cognac et l'apporter à la comtesse avec un murmure en breton.

— Ils ne l'ont pas pris, répéta Serenity, obstinée.

Elle approcha de la comtesse, mais fut interceptée par la main dure de Christophe posée sur son bras.

— Cette discussion est terminée pour aujourd'hui.

Elle se dégagea et déversa sa fureur sur lui.

— Ce n'est pas à vous de me dire quand parler ou non ! Je ne tolérerai pas que mon père soit accusé de vol ! D'ailleurs, *monsieur le comte*, reprit-elle, exaspérée par les incohérences de cette histoire abracadabrante, si mon père a pris ce tableau, où est-il ? Qu'en a-t-il fait ?

Il haussa un sourcil et soutint, sans broncher, le regard de défi qu'elle lui lançait. Devant son expression tranquille et de plus en plus explicite, elle se sentit pâlir, puis violemment rougir. D'abord muette d'humiliation, elle se ressaisit et le toisa.

— Si j'étais un homme, dit-elle d'une voix parfaitement maîtrisée, je vous ferais payer ces insultes contre mes parents et moi-même.

— *Dans ce cas, mademoiselle*, répliqua-t-il avec

une obligeance exagérée, j'ai de la chance que vous ne le soyez pas.

Le laissant à sa raillerie, elle se tourna vers la comtesse, qui les observait en silence.

— Si vous m'avez fait venir, *madame*, dans le but d'obtenir des informations sur votre Raphaël, vous allez être déçue. Je ne sais rien. Quant à moi, j'ai accepté votre invitation en pensant trouver une famille, un lien qui me rapprocherait de ma mère. Ce n'est pas le cas. Il ne nous reste plus, l'une comme l'autre, qu'à vivre avec nos déceptions.

Elle fit demi-tour et quitta la pièce sans ajouter un mot.

Dans sa chambre, après avoir claqué la porte dans un fracas satisfaisant, Serenity sortit ses valises de l'armoire et les lança sur son lit. Furieuse, l'esprit en ébullition, elle entreprit ensuite d'arracher ses vêtements des abris où ils étaient soigneusement rangés pour les jeter, pêle-mêle, dans la gueule grande ouverte de ses bagages.

— Partez ! répondit-elle sans ménagement au coup frappé contre sa porte avant de se retourner, le regard meurtrier, sur l'intrus qui ignorait son commandement.

Christophe, sur le seuil, considéra d'un œil circonspect sa façon de faire ses valises, puis entra et ferma la porte derrière lui.

— Alors, vous partez, *mademoiselle* ?

— Excellente déduction.

Elle ajouta le chemisier rose pâle au sommet de la montagne colorée qui se dressait sur son lit, bien décidée à l'ignorer.

— Sage décision, déclara-t-il au dos qu'elle lui tournait. Il eût été préférable que vous ne veniez pas.

— Préférable ? répliqua-t-elle en se retournant, frémissante de rage. Préférable pour qui ?

— Pour la comtesse.

Elle avança lentement, scrutant son adversaire, maudissant l'avantage que lui donnait sa stature.

— C'est elle qui m'a demandé de venir. Ou plutôt ordonné, précisa-t-elle en laissant siffler sa voix. Oui, ordonné est plus juste. Alors de quel droit osez-vous venir dans cette chambre et me parler comme si j'avais commis un sacrilège ? Je n'avais aucune idée de l'existence de cette femme jusqu'à l'arrivée de sa lettre. Et cette ignorance, voyez-vous, me comblait d'aise.

— Il eût été plus judicieux que la comtesse vous laisse à votre félicité.

— Voilà, *monsieur le comte*, un admirable euphémisme. Et je suis heureuse de vous entendre dire que j'étais tout à fait capable d'affronter l'existence sans rien connaître de mes liens avec la Bretagne.

Elle lui tourna le dos et passa sa colère sur d'innocents vêtements.

— Etant donné la brièveté de votre séjour, vos capacités de survie ne devraient pas être affectées.

— Vous voulez que je parte, n'est-ce pas ?

Son rejet n'aurait pu être plus évident, et elle sentit, en pivotant, tout le cuisant de la blessure infligée à son amour-propre.

— Et le plutôt sera le mieux, ajouta-t-elle. Alors laissez-moi vous dire une chose, *monsieur le comte de Kergallen*, je préfère camper sur le bord de la route plutôt qu'accepter votre gracieuse hospitalité. Tenez, poursuivit-elle en lui jetant la jupe à fleurs qu'elle avait à la main, pourquoi ne m'aidez-vous pas à faire mes valises ?

Il ramassa le vêtement fluide déployé sur le sol et le déposa, d'un geste désinvolte, sur le dossier d'une chauffeuse.

— Je vais vous envoyer Bridget.

Sa noble froideur, doublée de sa parfaite suffisance, ne fit que décupler la fureur de Serenity. Elle chercha, ivre de colère, un objet plus solide pour le lui envoyer à la figure.

— Vous semblez avoir besoin de secours, poursuivit-il.

— Ne vous avisez pas de m'envoyer quelqu'un ! cria-t-elle en le voyant se tourner vers la porte.

Il fit volte-face et s'inclina.

— Comme vous voulez, *mademoiselle*, concéda-t-il aimablement. L'état de vos vêtements ne regarde que vous.

Ne trouvant rien pour lui faire ravaler sa détestable courtoisie, et son insupportable placidité, elle saisit la première provocation qui lui vint à l'esprit, et le toisa.

— Je m'occuperai de mes valises, *cousin*, lorsque j'aurai décidé de partir.

D'un geste volontairement détaché, elle ramassa un des vêtements au sommet de la pile entassée sur son lit et se tourna vers l'armoire.

— Je vais peut-être changer d'avis, déclara-t-elle, pleine d'onctuosité à son tour, et rester un jour ou deux. Il paraît que la campagne bretonne est délicieuse.

— La décision de rester vous appartient, *mademoiselle*.

Sentant une infime pointe de contrariété percer dans ces paroles, elle ne put résister à un sourire de victoire.

— Compte tenu des circonstances, poursuivit-il, je me permettrais toutefois de ne pas vous le conseiller.

— Vraiment ? fit-elle, mine de s'étonner. C'est drôle comme ce conseil me pousse, au contraire, à rester.

Elle s'aperçut qu'elle avait fait mouche en voyant son regard s'assombrir. Son visage toutefois restait de marbre. Et il semblait si maître de lui qu'elle se demanda, vaguement impressionnée, quelle forme pouvait prendre sa colère si d'aventure il la lâchait.

— Ainsi que je le disais, reprit-il d'une voix calme, la décision de rester vous appartient, *mademoiselle*.

Elle le croyait sur le point de partir, mais il la surprit en avançant sur elle pour capturer sa nuque d'une main ferme. A ce contact, elle comprit que sa colère n'était pas aussi domptée qu'elle le croyait.

— Votre séjour peut toutefois s'avérer moins confortable que vous ne le souhaitez.

— Je suis capable de supporter l'inconfort.

Elle tenta de se dégager, mais sa main la retenait sans effort.

— Peut-être, mais l'inconfort n'est pas ce que recherchent les personnes intelligentes.

Jugeant son sourire suave plus désagréable qu'un sarcasme, elle se raidit et fit un nouvel effort pour échapper à sa poigne.

— Et je vous prends, sinon pour quelqu'un de sage, du moins pour une personne sensée, *mademoiselle*.

Refusant de céder à la peur qui la gagnait, elle s'obligea à soutenir son regard.

— Comme vous l'avez si bien souligné, rétorqua-t-elle, la décision de rester ou non m'appartient. Je n'ai pas à en discuter avec vous. La nuit porte conseil et je prendrai les dispositions adéquates demain matin. Bien sûr, vous pouvez toujours m'enchaîner à un mur du donjon.

— Une suggestion intéressante, admit-il.

Avec un sourire à la fois moqueur et amusé, il exerça une brève pression des doigts et la lâcha.

— Je vais y réfléchir, la nuit porte conseil…

Il se dirigea vers la porte.

— Et je prendrai les dispositions adéquates demain matin.

Furieuse de s'être laissé manipuler, elle jeta une chaussure contre le battant qui se fermait sur lui.

# Chapitre 3

Serenity ouvrit les yeux, intriguée par l'inhabituelle quiétude qui l'avait réveillée. Regardant d'abord, sans la reconnaître, la chambre inondée de soleil, elle se rappela où elle se trouvait, puis se redressa sur son lit et tendit l'oreille. Le silence, d'une magnifique profondeur, n'était brisé que par le chant occasionnel d'un oiseau. Se laissant gagner par cette sérénité, loin des bruits lancinants et de l'agitation de la ville, elle sourit.

Le petit réveil ouvragé posé sur le secrétaire de merisier indiquait à peine 6 heures, alors elle se rallongea et se nicha paresseusement dans le luxe des coussins et des draps accueillants. La fatigue de son interminable périple avait été plus forte que la tension provoquée par les révélations et les accusations de sa grand-mère, et elle s'était endormie très vite et très profondément, bercée par une paix inattendue dans le lit qui avait un jour été celui de sa mère. Les yeux fixés au plafond, elle se remémorait maintenant les événements de la veille.

La comtesse était amère. Le vernis de son stoïcisme pouvait être ancien et soigneusement poli, il ne parvenait pas à dissimuler la rancœur qu'il recouvrait. Ou du moins, admit Serenity, la souffrance. Sa propre colère ne l'avait pas empêchée de s'en apercevoir. La comtesse avait banni sa fille, mais elle avait gardé son portrait. Son cœur, songea-t-elle en méditant sur cette contradiction, n'était peut-être pas aussi dur que son orgueil.

Le comportement de Christophe, en revanche, continuait de la faire frémir. Elle avait eu l'impression de se trouver devant un juge prêt à abattre sa sentence avant même le jugement. Eh bien, elle avait sa fierté, elle aussi ! Et, s'il croyait l'impressionner, il se trompait. Elle ne risquait pas de se recroqueviller en tremblant, et laisser sa tête sur le billot, quand le nom de son père était traîné dans la boue. Elle aussi pouvait jouer la morgue assurance, le détachement poli et la froideur. Elle n'allait pas détaler comme un lapin, mais rester là, et se défendre.

Le regard posé sur la chambre inondée de soleil, elle soupira.

— *C'est un nouveau jour, maman*, dit-elle à voix haute.

Repoussant les draps, elle se leva et alla jusqu'à la fenêtre. Le parc s'offrait à son regard comme une invitation précieuse.

— Je vais aller marcher dans ton jardin, *maman*, et après je dessinerai ta maison.

Elle attrapa sa robe de chambre.

— Ensuite, peut-être parviendrons-nous, la comtesse et moi, à un accord.

Elle prit une douche et, optant pour la teinte pastel d'une robe d'été sans manches, s'habilla rapidement. Elle traversa le château plongé dans la quiétude, et sortit dans la chaleur matinale.

Au bas du perron, elle tournoya quelques instants sur elle-même.

Comme il était étrange, se dit-elle, gagnée par la quiétude qui l'entourait, de ne voir aucune maison, aucune voiture, ni même aucun être humain aux alentours. Elle savoura une grande bouffée d'air pur, puis fit le tour du château pour commencer sa promenade.

Le parc était encore plus magnifique de près que depuis sa fenêtre. Une profusion de fleurs explosait dans une myriade de couleurs, et le mélange de leurs parfums créait une fragrance inconnue, douce et forte à la fois. De nombreux chemins coupaient des allées parfaitement entretenues, dont les dalles miroitaient à la lumière du soleil. Elle en choisit un au hasard et, s'abandonnant à son bien-être, au plaisir de la solitude, laissa son tempérament d'artiste goûter l'abondance des nuances, le foisonnement des formes.

— *Bonjour, mademoiselle.*

Elle fit volte-face, surprise de l'intrusion de cette voix profonde qui brisait la tranquillité et sa contemplation solitaire.

Christophe approchait d'un pas lent. Il était aussi grand qu'élancé, et son allure lui rappelait le danseur russe et arrogant qu'elle avait rencontré lors d'une soirée à Washington. Gracieux, sûr de lui, et très viril.

— *Bonjour, monsieur le comte*, répondit-elle en optant, au lieu de gaspiller un sourire, pour une cordiale réserve.

Il portait une chemise havane et un pantalon marron. Elle avait déjà remarqué ses airs d'aventurier mais, cette fois, elle était saisie.

Arrivé devant elle, il la gratifia de son habituel regard perçant.

— *Vous êtes matinale. J'espère que vous avez bien dormi.*

— *Très bien, merci*, répliqua-t-elle, contrariée de devoir combattre non seulement l'animosité mais l'attirance qu'il lui inspirait. *Vos jardins sont splendides et très attrayants.*

— *J'ai un penchant pour ce qui est beau et attrayant*, répliqua-t-il en la fixant.

Elle soutint son regard, se sentant curieusement enveloppée par le brun foncé de ses prunelles, jusqu'au moment où, n'arrivant plus à respirer, elle s'arracha à leur emprise.

— Oh ! Coucou, toi ! s'exclama-t-elle en découvrant le chien sur les talons de Christophe.

Ils s'étaient exprimés en français, mais elle revint spontanément à l'anglais.

— Comment s'appelle-t-il ? demanda-t-elle en s'accroupissant pour ébouriffer le poil épais et soyeux de l'animal.

— Korrigan, répondit Christophe, captivé par

le halo de boucles blondes et ensoleillées penchées devant lui.

— Korrigan, répéta-t-elle, si enchantée qu'elle en oubliait le désagrément que lui causait son maître. De quelle race est-il ?

— C'est un épagneul breton.

Korrigan se mit à lui manifester son affection par de petits coups de langue sur les joues. Avant que Christophe ne puisse intervenir, elle éclata de rire et enfouit son visage dans le cou soyeux de l'animal.

— J'aurais dû me douter de sa réaction, lança-t-elle, amusée. J'ai eu un chien, un jour ; il m'avait suivie jusqu'à la maison.

Elle releva les yeux et repoussa en souriant les nouveaux assauts de Korrigan.

— En fait, je l'avais pas mal encouragé, reprit-elle. Je l'avais appelé Leonardo, mais mon père préférait Affreux, et ce nom lui est resté. Il faut dire que peu importait le nombre de bains ou de coups de brosse que nous lui donnions, son côté pendard prenait toujours le dessus.

Au moment où elle se redressait, Christophe l'aida à se relever. Au lieu de céder, déroutée par sa poigne ferme, à sa brusque envie de lui échapper, elle s'écarta tranquillement pour reprendre sa route. Le chien et le maître lui emboîtèrent le pas.

— Votre calme est revenu, observa Christophe. Je trouvais surprenant qu'une coquille aussi fragile puisse contenir un tempérament aussi fougueux.

— Je crains que vous ne vous trompiez, dit-elle

en lui adressant un regard bref mais posé. Pas sur le tempérament, mais sur la fragilité. Je suis solide, et ne me brise pas facilement.

— Peut-être avez-vous été épargnée, répliqua-t-il. Avez-vous décidé de rester ?

— Oui, reconnut-elle en se tournant franchement vers lui, bien que j'aie la nette impression que vous préféreriez le contraire.

Il eut un mouvement d'épaules.

— *Mais non, mademoiselle.* Vous serez la bien-venue aussi longtemps qu'il vous plaira de rester.

— Votre enthousiasme me va droit au cœur, murmura-t-elle.

— *Pardon ?*

— Rien, lâcha-t-elle dans un soupir avant de redresser la tête pour le regarder. Dites-moi, *monsieur*, vous ne m'aimez pas parce que vous tenez mon père pour un voleur, ou est-ce strictement personnel ?

La neutralité de son visage ne changea pas d'un iota.

— Je regrette de vous avoir donné cette impres-sion, *mademoiselle*, mon attitude doit être en cause. Je vais tâcher de me montrer plus poli.

— Vous êtes si infernalement poli, répliqua-t-elle en cédant à son agacement, que votre politesse confine parfois à l'indécence.

— L'indécence serait-elle davantage à votre goût ? s'enquit-il en considérant son emportement d'un œil parfaitement détaché.

— Oh !

Elle préféra lui tourner le dos et cueillir une rose d'une main rageuse.

— Vous m'exaspérez ! Aïe ! lâcha-t-elle, piquée par une épine. Regardez ce que vous m'avez fait !

Elle porta son pouce à ses lèvres en le foudroyant du regard.

— Toutes mes excuses, lui retourna Christophe, un sourire moqueur aux lèvres. Je suis impardonnable.

— Vous êtes surtout arrogant, condescendant et prétentieux, dit-elle pour se venger.

— Et vous êtes désagréable, capricieuse et têtue, renchérit-il, en croisant les bras sur sa poitrine.

Ils se dévisagèrent un instant. Leur échange avait dû écailler son vernis, car elle devinait, sous l'apparence froidement détachée, l'homme implacable et passionnant qu'il recouvrait.

— Nous semblons nous tenir en grande estime en si peu de temps, observa-t-elle en repoussant les boucles tombées sur son visage. Pour peu que nous nous connaissions mieux, nous allons tomber fous amoureux.

— Une conclusion intéressante, *mademoiselle*.

Sur une courte révérence, il pivota et se dirigea vers le château. Elle éprouva aussitôt une déception inattendue.

— Christophe, lâcha-t-elle.

Elle voulait, de façon inexplicable, détendre l'atmosphère entre eux.

Comme il se tournait, l'œil interrogateur, elle avança à sa rencontre.

— Ne pouvons-nous être simplement amis ?

Il la considéra un long moment, et elle ne tarda pas, livrée à son regard intense, à se sentir mise à nu.

— Non, Serenity, répondit-il enfin, j'ai bien peur que nous ne puissions jamais être simplement amis.

Elle le regarda s'éloigner, la démarche souple et agile, son épagneul sur les talons.

Une heure plus tard, Serenity retrouvait Christophe avec sa grand-mère, au petit déjeuner. Après une question banale de la comtesse sur la façon dont elle avait dormi, la conversation glissa sur des sujets ordinaires, sinon insignifiants. De toute évidence, la vieille dame faisait des efforts pour alléger la tension provoquée par la confrontation de la veille. Peut-être n'était-il pas d'usage de se quereller autour de croissants, se dit Serenity, impressionnée par le degré de civilité dont ses hôtes faisaient preuve. Réprimant un sourire ironique, elle s'aligna sur leur comportement.

— Vous voulez certainement visiter le château, Serenity, *n'est-ce pas ?*

Reposant le pot de crème dont elle venait de se servir tout en levant les yeux sur elle, la comtesse remua son café d'une main parfaitement manucurée.

— Oui, *madame*, j'en serais enchantée, répondit Serenity avec le sourire attendu. J'aimerais faire des croquis de l'extérieur, mais je serais ravie de voir l'intérieur d'abord.

— *Bien entendu,* approuva la vieille dame avant d'interpeller son petit-fils qui buvait son café d'un air absent. Christophe, nous devons faire faire le tour du château à Serenity ce matin.

— Rien ne me ferait plus plaisir, *grand-mère,* répondit-il en reposant sa tasse de porcelaine, mais je crains d'être malheureusement occupé. Le taureau que nous avons importé arrive ce matin, je dois surveiller l'opération.

— Ah, le bétail, lâcha la comtesse dans un soupir, avant de hausser les épaules. Tu penses trop au bétail.

Serenity, saisissant le premier commentaire spontané qu'elle entendait, se tourna vers Christophe.

— Vous élevez du bétail ?

— Oui, lui confirma-t-il en croisant son regard intrigué. L'élevage est l'activité principale du château.

— Vraiment ? s'étonna-t-elle de façon exagérée. Je n'aurais jamais cru que les Kergallen puissent s'embarrasser de choses aussi triviales. Je croyais qu'ils se contentaient de compter leurs serfs.

Il s'inclina très légèrement.

— Nous ne le faisons qu'une fois par mois, concéda-t-il, l'ombre d'un sourire flottant sur ses lèvres. Ils ont tendance à proliférer.

Gagnée par l'humour qui dansait dans son regard, elle se laissa surprendre par le sourire, maintenant large, qu'il lui adressait. Alertée par sa propre réaction, elle baissa vivement les yeux sur son café.

Finalement, ce fut la comtesse elle-même qui fit faire à Serenity la visite du château. Elle se laissa conduire, de pièce stupéfiante en recoin inattendu, en écoutant une partie de son histoire.

Le château avait été construit à la fin du XVIIᵉ siècle, mais ses presque trois cents ans d'existence ne l'empêchaient pas, au regard des normes de la région, d'être considéré comme récent. La bâtisse et les terres attenantes étaient transmises de père en fils depuis des générations et, malgré les quelques aménagements effectués au cours des siècles, il demeurait tel qu'il était lorsque le premier comte de Kergallen avait fait franchir le pont-levis à son épouse. Aux yeux de Serenity, il incarnait un temps et un charme depuis longtemps disparus, et sa visite ne fit qu'accroître l'enchantement et l'affection qu'elle avait éprouvés au premier regard pour le lieu.

Dans la galerie des portraits, elle découvrit la sombre et fascinante beauté de Christophe reproduite au cours des siècles. D'une génération à l'autre, elle notait bien quelques variations, mais la fierté tenace, l'allure aristocratique et l'air énigmatique demeuraient. Elle s'arrêta devant un ancêtre du XVIIIᵉ siècle dont la ressemblance avec Christophe était si frappante qu'elle approcha pour l'étudier de plus près.

— Vous trouvez Jean-Claude intéressant, Serenity ? lui demanda la comtesse en suivant son regard. Christophe lui ressemble beaucoup, *n'est-ce pas ?*

— Oui, c'est impressionnant.

Le regard était particulièrement assuré et brûlant et, à moins qu'elle ne se trompe, la bouche avait connu de nombreuses femmes.

— Il passe pour avoir été un peu *sauvage*, poursuivit la comtesse, une pointe d'admiration dans la voix. Il paraît que la contrebande était son passe-temps favori ; c'était un marin dans l'âme. La légende raconte qu'il est tombé amoureux lors d'un voyage en Angleterre. N'ayant pas la patience de faire une cour en bonne et due forme, à savoir longue et démodée, il a enlevé sa dulcinée pour la ramener au château. Il l'a épousée, bien sûr. Elle est ici.

Elle désigna le portrait d'une jeune anglaise au teint crème, d'environ vingt ans.

— Elle n'a pas l'air malheureux, constata Serenity.

Sur ce commentaire, la comtesse poursuivit son chemin, la laissant observer le visage souriant de la jeune épouse kidnappée.

La pièce suivante, la salle de bal, était immense, et ses dimensions étaient encore accentuées par les fenêtres aux vitres cloisonnées de plomb qui occupaient le mur du fond. Un autre mur était entièrement recouvert de miroirs, dans lesquels se reflétaient trois lustres. Du haut de leurs poutres, ils devaient, les soirs de bal, déverser une pluie d'étoiles scintillantes sur les danseurs. Pour ceux qui préféraient voir les couples tourbillonner sur le parquet parfaitement astiqué, des fauteuils Régence, au dossier droit et à l'élégante tapisserie, étaient adroitement disposés.

Elle se demanda si Jean-Claude avait donné un bal nuptial pour la Sabine enlevée à son pays natal, et décida que oui.

Serenity suivit la comtesse le long d'un autre couloir étroit jusqu'à un escalier de pierre, dont les marches en colimaçon conduisaient au sommet de la plus haute tour. La pièce dans laquelle elles débouchèrent était entièrement nue, mais elle poussa un cri d'extase et avança jusqu'au centre en regardant autour d'elle comme si elle était emplie de trésors. Cette salle était très grande, entièrement circulaire et, par les fenêtres qui en faisaient tout le tour, se déversait à flots toute la lumière du soleil. Elle s'imagina aussitôt peindre ici des heures durant, baignée dans une solitude bienheureuse.

— Cette pièce a servi d'atelier à votre père.

Notant le retour de la dureté dans la voix de sa grand-mère, Serenity coupa court à sa rêverie pour l'affronter.

— *Madame*, si vous souhaitez que je reste ici quelque temps, nous devons trouver un terrain d'entente. Dans le cas contraire, je serai obligée de partir.

Elle s'était exprimée d'un ton ferme, avec une politesse soigneusement contrôlée, mais elle luttait pour contenir sa colère.

— J'aimais beaucoup mon père, tout comme ma mère. Je ne tolérerai pas le ton que vous employez pour parler d'eux.

— Est-il d'usage, dans votre pays, qu'une jeune femme s'adresse à ses aînés de cette façon ?

Le port de tête était royal, la colère, tout aussi visible.

— Je ne peux parler qu'en mon nom, *madame*, répliqua-t-elle, se tenant fièrement dans la lumière de la pièce. Mais je ne suis pas de ceux qui pensent que l'âge va forcément de pair avec la sagesse. Je ne suis pas non plus assez hypocrite pour vous entendre insulter sans réagir un homme que j'aimais et respectais plus que tout au monde.

— Sans doute serions-nous sages d'éviter de parler de votre père pendant votre séjour.

C'était, en dépit de la formule, plus un ordre qu'une demande, et elle sentit sa colère redoubler.

— J'ai l'intention de parler de lui, *madame*. J'ai l'intention de découvrir exactement ce qu'est devenue la Madone de Raphaël et de laver la tache que vous avez jetée sur son honneur.

— Et de quelle façon comptez-vous vous y prendre ?

— Je l'ignore, mais je le ferai.

Serenity arpenta la pièce, ouvrant grand les bras.

— Le tableau est peut-être caché ici, dans le château ; quelqu'un d'autre l'a peut-être dérobé.

Elle fit volte-face, prise d'une soudaine fureur.

— Peut-être l'avez-vous vendu pour accuser mon père.

— Vous m'insultez ! s'exclama la comtesse, les yeux flamboyants.

— Vous accusez mon père de vol, et c'est moi qui vous insulte ? rétorqua-t-elle sur le même mode. Je connaissais Jonathan Smith, *comtesse*, et ce n'était pas un voleur. Mais je ne vous connais pas.

La comtesse la dévisagea un moment, puis Serenity vit le flamboiement des yeux bleus s'atténuer pour finalement céder à un air de considération réfléchi.

— C'est exact, dit enfin sa grand-mère. Vous ne me connaissez pas, et je ne vous connais pas. Je ne peux donc pas faire retomber la faute sur vous, ni vous blâmer de ce qui s'est passé avant votre naissance.

Elle se dirigea vers la fenêtre et contempla le paysage.

— Mon opinion sur votre père reste la même, reprit-elle après un long silence en se tournant, la main levée, pour couper court à toute réplique. Mais j'ai été injuste envers sa fille. Vous êtes venue chez moi, à ma demande, et je vous ai méchamment accueillie. Pour cela au moins, je vous présente mes excuses.

Un faible sourire étira ses lèvres.

— Si cela vous convient, nous ne parlerons pas du passé avant de nous connaître mieux.

— Très bien, *madame*, fit Serenity.

De toute évidence, cette offre et ces excuses étaient une sorte de brin d'olivier.

— Vous avez un cœur généreux en plus d'un esprit fort, observa la comtesse. C'est une bonne association. Mais vous avez aussi un vif tempérament, *n'est-ce pas ?*

— *En effet,* admit-elle.

— Christophe aussi a des accès de colère et d'humeur sombre, lui apprit la comtesse en changeant tout à coup de sujet. Il a une forte personnalité, il est têtu, et il a besoin d'une femme à sa mesure, mais dotée d'un bon cœur.

Déroutée par cette déclaration, Serenity ne sut d'abord que répondre.

— Cette femme a toute ma sympathie, commença-t-elle avant qu'un doute ne germe dans son esprit. *Madame*, quel rapport entre les besoins de Christophe et moi ?

— Il est en âge de se marier, déclara simplement la comtesse. Et vous avez largement dépassé celui auquel la plupart des Bretonnes sont épouses et mères de famille.

— Je ne suis qu'à moitié bretonne, répliqua-t-elle, distraite, avant d'écarquiller les yeux. Etes-vous en train de… Vous ne suggérez tout de même pas que Christophe et moi, nous… ? Oh ! s'exclama-t-elle, sidérée, c'est parfaitement ridicule !

Son éclat de rire résonna dans la pièce vide.

— Je suis navrée de vous décevoir, *madame*, mais le comte ne s'intéresse pas le moins du monde à ma personne. Il n'a aucune sympathie pour moi, et je dois admettre que je ne l'apprécie pas beaucoup moi-même.

— La sympathie n'a rien à voir ici, déclara la comtesse en balayant ce mot de la main.

Le rire de Serenity se figea. Elle secoua la tête, d'abord incrédule, puis fut bien obligée de se rendre à l'évidence : la comtesse, digne et sérieuse, ne plaisantait pas.

— Lui en avez-vous déjà parlé ? demanda-t-elle, saisie d'un horrible soupçon.

— *Oui,* reconnut la comtesse sans ambages.

Serenity ferma les yeux, submergée de honte.

— Je ne m'étonne plus de son accueil, entre ces élucubrations et ce qu'il pense de mon père !

Elle se détourna puis revint, furieuse, vers sa grand-mère.

— Vous dépassez les bornes, *comtesse.* Le temps des mariages arrangés est depuis longtemps révolu.

— Pff ! s'exclama la vieille dame. Christophe est beaucoup trop indépendant pour accepter quoi que ce soit organisé par quelqu'un d'autre, et je constate que vous êtes aussi entêtée. Mais…

Serenity vit un sourire étirer les lèvres fines et écouta la suite, au comble de la stupeur.

— … vous êtes très belle, et Christophe est un homme viril et séduisant. Peut-être que la nature — comment dit-on ? — suivra son cours.

Elle ne put, muette de stupéfaction, que contempler le visage tranquille qu'elle avait en face d'elle.

— Venez, reprit la comtesse en se dirigeant d'un pas décontracté vers la porte. Votre visite n'est pas terminée.

# Chapitre 4

L'après-midi était chaud et Serenity bouillait à petit feu. L'indignation provoquée par les manigances de sa grand-mère s'étendait maintenant à Christophe.

*D'insupportables et vaniteux aristocrates, voilà ce qu'ils sont !* fulminait-elle.

Elle ajouta un trait rageur au croquis des tourelles du château qu'elle était en train de dessiner. *Plutôt épouser Attila qu'être liée à ce rustre détestable.* Elle laissa éclater un bref éclat de rire, qui troubla la quiétude qui l'entourait. *Madame s'imagine sans doute des douzaines de mini-comtes et comtesses jouant sagement dans le jardin avant de perpétuer, dans la plus pure tradition bretonne, l'impériale lignée des Kergallen !*

Elle leva subitement son crayon pour parcourir les environs du regard. C'était tout de même un endroit idéal pour élever des enfants, songea-t-elle en soupirant.

D'un œil adouci, elle contempla un instant la sereine beauté du paysage, avant de se raidir de nouveau, furieuse. *La comtesse Serenity de Kergallen*, se dit-elle dans un regain de rage, *il ne manquerait plus que ça !*

Un mouvement attira son attention et elle tourna la tête. Plissant les yeux pour se protéger du soleil, elle vit Christophe traverser la pelouse d'un pas long et assuré. Il marchait comme si le monde lui appartenait, songea-t-elle, partagée entre l'admiration et le ressentiment. Le temps qu'il arrive, ce dernier sentiment l'avait, heureusement, victorieusement remporté.

— Vous ! s'exclama-t-elle en se dressant tel un ange vengeur dans la lumière du soleil.

Son attaque sembla le prendre de court, mais il prit la parole d'un ton placide et contrôlé.

— Quelque chose ne va pas, *mademoiselle* ?

Sa froideur ne fit qu'attiser sa colère et, cette fois, elle s'emporta.

— Oui, s'exclama-t-elle, je suis furieuse ! Vous savez parfaitement que je suis furieuse ! Pourquoi ne m'avez-vous pas parlé de cette idée ridicule de la comtesse ?

— Ah.

Il haussa les sourcils, tandis qu'un sourire infernal se dessinait sur ses lèvres.

— *Alors grand-mère* vous a informée de notre bonheur conjugal. Quand souhaitez-vous, ma bien-aimée, voir publiés les bans ?

— Quel prétentieux petit…

Elle s'étrangla, incapable de formuler l'insulte appropriée.

— Vous savez parfaitement ce que vous pouvez faire de vos bans ! acheva-t-elle. Je ne risque pas de vous épouser !

— Nous sommes au moins d'accord sur un point, répliqua-t-il, l'air satisfait. Je n'ai aucune envie de m'attacher à une espèce de furie mal élevée dans votre genre. J'ignore qui a choisi de vous baptiser Serenity, mais ce choix démontre une singulière absence de clairvoyance.

— Vous êtes l'homme le plus exécrable que j'aie jamais rencontré ! rétorqua-t-elle d'un ton jurant avec le calme insolent dont il faisait preuve. Même votre vue m'insupporte.

— Dois-je en déduire que vous avez décidé d'écourter votre séjour et de rentrer en Amérique ?

Elle leva le menton avec fierté.

— Oh non, *monsieur le comte*, je vais rester. Certaines motivations pèsent plus que les sentiments que vous m'inspirez.

Il scruta son visage, son regard sombre à peine visible à travers la fente de ses paupières.

— La comtesse aurait ajouté quelques francs pour vous convaincre de rester ?

Elle le dévisagea avec stupeur, puis le sens de sa question s'éclaira jusqu'à ôter toute couleur à ses joues. Incapable de contenir plus longtemps sa colère, elle le gifla dans un claquement retentissant. Déjà, elle faisait demi-tour et s'enfuyait vers le château, mais des mains dures s'abattirent sur ses épaules et la firent pivoter. Alors, elle se retrouva contre lui, les lèvres écrasées par un baiser brutal.

Le choc fut violent et aussi bref qu'un éclair. Elle resta quelques secondes inerte, incapable de s'extraire de l'obscurité qui l'avalait. Il lui volait jusqu'à son souffle, s'aperçut-elle brusquement. Terrifiée à l'idée de rester prisonnière de cette brûlante et dévorante noirceur, elle le repoussa, puis le frappa de ses poings.

Mais l'étau de ses bras la plaquait contre lui. Elle n'était pas seulement forcée d'éprouver l'inflexible dureté de son corps, il l'obligeait à se fondre avec lui dans cette étreinte passionnée. Sa main glissa sur sa nuque et, comme elle se débattait toujours, ses doigts l'emprisonnèrent, tandis que son autre bras, tout aussi implacable, la maintenait sous son emprise absolue.

Sa lutte n'avait aucun effet. Pire, plus elle tentait de se libérer, plus elle sentait sa supériorité physique, et la violence qui sourdait sous la surface, l'écraser. Forcées par son assaut, ses lèvres cédèrent. Il s'empara alors de sa bouche sans aucune pitié ni la moindre compassion. Son goût musqué la transperça, dévastant ses sens, sa volonté, ne laissant émerger que le commentaire de sa grand-mère sur l'ancêtre depuis longtemps disparu dont Christophe avait hérité les traits. *Sauvage*, avait-elle dit. *Sauvage*.

Il libéra sa bouche aussi brutalement qu'il s'en était emparé et, sa poigne s'abattant sur ses épaules, plongea les yeux dans son regard qu'elle savait trouble, voilé de confusion. Le silence flotta entre eux, chargé de vibrations.

— Qui vous a permis de faire ça ? demanda-t-elle d'une voix incertaine en portant la main à sa tempe pour faire cesser son vertige.

— C'était cela ou vous rendre votre gifle, *mademoiselle*.

Si elle en jugeait à sa voix rauque et à son expression farouche, il n'avait pas tout à fait achevé la transformation qui menait du pirate à l'aristocrate.

— Je répugne malheureusement à frapper une femme, et ce, aussi amplement qu'elle le mérite.

Elle eut un mouvement de recul, frappée par la froideur de son flegme, et lutta contre les larmes qui, traîtreusement, lui montaient aux yeux.

— La prochaine fois, giflez-moi. Je préfère ça.

— Si vous relevez la main sur moi, *chère cousine*, soyez certaine que je blesserai plus que votre fierté.

— Vous l'avez déjà fait, répliqua-t-elle, sentant ses yeux, brillants et grands ouverts sur son désarroi, briser tout son aplomb. Comment osez-vous m'accuser d'avoir monnayé mon séjour ? Ne vous est-il jamais venu à l'esprit que je pouvais vouloir rester pour connaître la grand-mère dont j'ai été privée ? N'avez-vous jamais envisagé que je puisse vouloir découvrir l'endroit où mes parents se sont rencontrés et aimés ? Que j'aie besoin de rester pour prouver l'innocence de mon père ?

Elle chassa chacune des larmes de faiblesse qui roulaient sur ses joues.

— Je regrette seulement de ne pas vous avoir giflé plus fort. Que feriez-vous si on vous accusait de vous laisser acheter comme un vulgaire morceau de viande ?

Christophe regarda une larme glisser sur le satin de sa peau, et esquissa un sourire.

— J'aurais démoli mon adversaire. Mais vos larmes sont un châtiment bien plus efficace que les poings.

— Je ne m'en sers pas comme d'une arme, répliqua-t-elle en les essuyant d'un revers de main et regrettant de ne pouvoir les arrêter.

— Non, et c'est pourquoi elles sont si redoutables.

Il en écrasa une, d'un doigt bronzé. Surpris par le contraste des couleurs qui donnait à l'ivoire de la peau de Serenity une apparence vulnérable et délicate, il retira vivement la main et poursuivit d'un ton égal :

— Mon accusation était injuste et je m'en excuse. Nos punitions infligées, nous voici donc — comment dites-vous ? — quittes.

Il lui offrit son sourire rare et charmant. Serenity le regarda, séduite par son pouvoir et captivée par le changement si radical que cette expression imprimait à son visage. Sans qu'elle puisse l'empêcher, elle sentit son propre sourire, comme une brusque et radieuse éclaircie après l'orage, lui répondre. Il émit un petit bruit agacé, comme s'il regrettait de s'être laissé aller à ce bref écart de conduite, et pivota pour s'en aller d'un pas vif, la laissant derrière lui, plus déconcertée que jamais.

Au dîner, la conversation se cantonna une fois de plus à des sujets strictement ordinaires. Comme si, songeait Serenity, la stupéfiante conversation dans la tour et la rencontre impétueuse sur la pelouse du château n'avaient jamais eu lieu. La capacité de ses hôtes à maintenir, au-dessus de leurs *langoustes à la crème*, le vernis d'un bavardage insignifiant lui semblait stupéfiante. Sans la morsure qu'elle sentait encore sur ses lèvres, elle aurait juré avoir rêvé le baiser tumultueux que Christophe y avait planté. Un baiser qui lui avait arraché, du tréfonds d'elle-même, une étrange réponse et qui l'avait déstabilisée plus qu'elle n'était prête à l'admettre.

Cela ne signifiait rien, se répéta-t-elle en se concentrant sur la délicieuse langouste dans son assiette. On l'avait déjà embrassée et on l'embrasserait encore. Elle n'allait pas laisser un tyran lunatique la perturber.

Décidant de reprendre sa place dans le jeu des mondanités sans conséquence, elle prit son verre, but une gorgée, et fit un commentaire sur le vin qu'il contenait.

— Il vous plaît ? demanda Christophe sur le même ton de conversation désinvolte. C'est le muscadet du château. Nous élevons quelques hectares de vignes pour notre propre consommation et celle du voisinage.

— Je le trouve très agréable, répondit-elle. Ce doit être un plaisir de boire le vin de ses propres vignes. Je n'en ai jamais goûté de semblable.

— Le muscadet est le seul cépage élevé en Bretagne, lui apprit la comtesse avec un sourire. La région est surtout connue pour la mer et la dentelle.

Serenity passa la main sur la nappe immaculée qui recouvrait la table de chêne.

— La dentelle bretonne est exquise, dit-elle, admirative. Elle semble si fragile et, pourtant, les années ne font qu'accroître sa beauté.

— Comme une femme, murmura Christophe.

Elle leva les yeux et croisa son regard sombre.

— Vous élevez donc aussi du bétail, enchaîna-t-elle pour dissimuler son trouble.

— Ah, le bétail.

Un imperceptible sourire dansait à présent sur ses lèvres, donnant à Serenity la nette et désagréable impression qu'il n'ignorait rien de l'effet qu'il produisait sur elle.

— Ayant toujours vécu en ville, je ne sais strictement rien de l'élevage, reprit-elle. Ce doit être quelque chose de voir les animaux paître en liberté.

Elle s'empêtrait, de plus en plus déconcertée par l'aplomb de son regard. La comtesse, heureusement, détourna son attention.

— Nous devons vous faire découvrir la campagne

bretonne, Serenity. Que diriez-vous d'une excursion demain pour visiter le domaine ?

— J'en serais enchantée, *madame*. Cela me changera des trottoirs et des musées de Washington.

— Je serais ravi de vous accompagner, Serenity.

Elle se tourna vers Christophe, surprise de sa soudaine obligeance. Il lui sourit et s'inclina courtoisement.

— Avez-vous une tenue convenable ?

— Une tenue convenable ?

— Oui, une tenue convenable.

Les changements d'expression qui traversaient son visage devaient le ravir, car son sourire s'élargit.

— Vos choix vestimentaires sont irréprochables, mais vous aurez du mal à monter à cheval dans ce genre de robe.

Elle baissa les yeux sur les pans vaporeux de sa robe, avant de les relever sur son air amusé.

— A cheval ? répéta-t-elle, cette fois soucieuse.

— Il est impossible de faire le tour du domaine en voiture, lui dit-il. Le cheval s'impose.

Devant ses yeux rieurs, elle se redressa et rassembla sa dignité.

— J'ai peur de ne pas savoir monter à cheval.

— *C'est impossible !* s'exclama la comtesse. Gaelle était une merveilleuse cavalière.

— L'équitation ne doit pas être pas génétique, *madame*, avança-t-elle, amusée par l'incrédulité stupéfaite de sa grand-mère. Cette activité m'est tout à fait étrangère. Je ne suis même pas capable de tenir sur un poney de manège.

— Je vais vous apprendre.

L'intervention de Christophe, qui n'avait rien d'une suggestion, l'agaça.

— C'est très aimable à vous, *monsieur*, répliqua-t-elle avec hauteur, mais je n'ai aucune envie d'apprendre. Ne vous donnez pas cette peine.

— Vous allez tout de même apprendre, déclara-t-il en levant son verre. Soyez prête à 9 heures, demain matin. Je vous donnerai votre première leçon.

Elle lui décocha un regard furieux, sidérée du peu de cas qu'il faisait de ses décisions.

— Je viens de vous dire...

— Soyez ponctuelle, l'avertit-il avec nonchalance en se levant de table. Je ne doute pas que vous préfériez marcher jusqu'aux écuries plutôt que d'y être tirée par les cheveux.

Il sourit, comme si cette perspective l'enchantait au plus haut point, puis se tourna vers la comtesse.

— *Bonne nuit, grand-mère*, lui dit-il avec affection avant de disparaître.

— Quel toupet ! bredouilla Serenity lorsqu'elle eut recouvré sa voix.

Elle se tourna, fulminante, vers la comtesse, qui affichait un air scandaleusement ravi.

— S'il croit que je vais lui obéir docilement et...

— Vous seriez sage d'obéir. Docilement ou non, la coupa la comtesse. Quand Christophe s'est mis quelque chose en tête...

Accompagnant son silence d'un haussement d'épaules éloquent, elle laissa le reste de sa phrase en suspens.

— Vous possédez un pantalon, je suppose, reprit-elle. Bridget vous apportera une des paires de bottes de votre mère, demain matin.

— *Madame*, commença-t-elle, bien décidée à se faire comprendre, je n'ai aucune intention de monter sur un cheval demain matin.

— Ne faites pas l'enfant, répliqua sa grand-mère en prenant tranquillement son verre. Christophe est on ne peut plus capable de mettre sa menace à exécution. C'est un homme très entêté, ajouta-t-elle dans un sourire que Serenity jugea, pour la première fois, empreint de vraie chaleur. Peut-être même plus entêté que vous.

Muselant sa rage, Serenity enfila une des bottes robustes qui avaient un jour appartenu à sa mère. Nettoyées et cirées, elles étaient d'un noir luisant et convenaient à ses pieds fins comme si elles avaient été faites sur mesure.

A croire que même sa mère se liguait contre elle, gémit-elle, accablée.

— Entrez, répondit-elle au coup frappé contre sa porte.

Ce ne fut pas Bridget qui franchit le seuil, mais Christophe, élégamment vêtu d'un pantalon d'équitation couleur fauve et d'une chemise de lin blanc.

— Que voulez-vous ? lui demanda-t-elle, renfrognée, en tirant d'un coup sec sur la seconde botte.

— Seulement m'assurer de votre ponctualité, Serenity, répondit-il, un sourire aux lèvres, en détaillant sa mine rebelle puis sa tenue, un T-shirt imprimé et un jean moulant.

Fatiguée de ses regards minutieux — il l'observait toujours comme s'il voulait mémoriser ses moindres traits —, elle se leva sur la défensive.

— Je suis prête, capitaine, mais j'ai bien peur de faire une piètre élève.

— Cela reste à prouver, *ma chère*, dit-il avant de l'étudier d'un regard cette fois pensif. Vous me semblez tout à fait capable de suivre quelques instructions simples.

Elle refréna la colère qu'il se faisait une habitude de provoquer en elle.

— Je ne suis pas complètement idiote, merci. Mais il se trouve que je n'aime pas qu'on me dicte mes actes.

Il resta silencieux, visiblement surpris de sa repartie.

Drapée dans un silence dédaigneux, elle le suivit donc en direction des écuries, veillant à ne pas se laisser distancer pour s'épargner l'humiliation de traîner derrière lui comme une élève obéissante.

A l'instant où ils arrivaient, un palefrenier sortait du bâtiment, menant deux chevaux par la bride, sellés et prêts à partir. La robe de l'un était d'un noir luisant, celle du second, beige crème. Leurs dimensions lui paraissaient également gigantesques.

Elle s'immobilisa et considéra les deux bêtes d'un œil dubitatif.

— Et si je tournais les talons, demanda-t-elle, prudente, que feriez-vous ?

— Je vous ramènerais, *ma petite.*

Comprenant qu'il était en effet capable de mettre sa menace à exécution, elle changea de tactique.

— Le noir est de toute évidence le vôtre, *monsieur le comte*, déclara-t-elle d'une voix légère destinée à masquer sa panique grandissante. Je vous imagine très bien, l'éclat d'un sabre brillant à la ceinture, galopant sur la lande par une nuit de pleine lune.

— Vous êtes perspicace, *mademoiselle*, se contenta-t-il de lui répondre.

Le voyant prendre les rênes du cheval beige et approcher, elle recula et déglutit.

— Je suppose que vous voulez que je le monte.

— C'est une jument, précisa-t-il, un léger sourire aux lèvres.

Elle lui décocha un regard noir.

— Je me moque pas mal de son sexe, répliqua-t-elle, aussi nerveuse qu'agacée par son appréhension.

Elle leva les yeux sur l'animal.

— Elle est… très grande, dit-elle d'une voix plus faible qu'elle n'espérait.

— Babette est aussi gentille que Korrigan, la rassura-t-il d'un ton étonnamment doux. Vous aimez les chevaux, *n'est-ce pas ?*

— Oui, mais…

— Elle est très douce.

Il lui prit la main et la posa sur l'encolure soyeuse.

— Elle est placide et ne souhaite que faire plaisir.

Sa main, prise entre la chaleur de l'animal et la pression insistante de la paume de Christophe, lui procurait une sensation curieusement agréable. Acceptant de se détendre, elle laissa Christophe guider sa caresse sur le pelage de la jument, puis se tourna pour lui sourire.

— Elle a l'air sympathique, commença-t-elle.

Mais l'animal s'ébroua, et elle fit un bond en arrière qui la cogna contre Christophe.

— Détendez-vous, lâcha-t-il dans un rire en la retenant pour l'empêcher de tomber. C'est sa façon de vous dire qu'elle vous aime bien.

— Elle m'a juste prise au dépourvu, se défendit-elle.

Vexée de sa frayeur, et bien décidée à la surmonter, elle se tourna vers lui. Mais, au lieu d'annoncer à Christophe qu'elle était prête à commencer, elle se retrouva muette, enveloppée par son regard sombre et énigmatique et ses bras serrés sur elle.

Durant une brève seconde, tandis que son cœur s'arrêtait net avant de reprendre sa course sur un rythme erratique, elle crut qu'il allait l'embrasser. Stupéfaite — et consternée — de s'apercevoir qu'elle voulait plus que tout au monde sentir ses lèvres sur les siennes, elle vit son front se plisser, puis il la relâcha.

— Commençons, lui dit-il.

Sa façon de glisser, sans le moindre effort, dans le rôle d'instructeur la ramena brusquement à la réalité.

Recouvrant sa fierté, elle décida d'être une élève parfaite. Ce qui impliquait de ravaler son anxiété et de laisser Christophe la hisser sur sa monture. Ce qu'il fit avec une aisance parfaite. Soulagée de constater que le sol n'était pas si loin, elle écouta attentivement ses instructions et, plus que jamais décidée à ne plus se laisser ridiculiser, fit exactement ce qu'il lui demandait.

Puis elle le regarda enfourcher son cheval avec élégance et dans une économie de mouvement qu'elle lui envia, avant de sentir son cœur se serrer. Ce cavalier, sombre et altier, n'était pas seulement à l'image de son étalon fougueux. Tony, dans ses moments les plus ardents, ne l'avait jamais affectée de la façon dont les regards enveloppants de cet homme insolite et distant le faisaient.

Elle ne pouvait pas se laisser séduire, se défendit-elle farouchement. Cet homme était bien trop imprévisible. Et il était capable, saisit-elle dans un éclair de lucidité, de la faire souffrir plus qu'aucun autre n'avait été en mesure de le faire. De toute façon, acheva-t-elle, un œil sur la robe crème de sa jument, elle n'aimait pas ses airs et son attitude despotiques.

— Vous avez décidé de faire une sieste, Serenity ?

La voix moqueuse de Christophe la tira brusquement de ses réflexions. Non contente de sursauter, elle se sentit, en croisant son regard rieur, rougir.

— *Allons-y, ma belle.*

Saluant d'un air amusé le feu qui embrasait maintenant ses joues, il écarta son cheval et s'éloigna d'un pas lent.

Appliquant les consignes qu'il lui avait données, Serenity se mit à sa hauteur. Ils avancèrent côte à côte et, rassurée par leur allure tranquille, elle ne tarda pas à se sentir à l'aise sur sa selle. Christophe lui donnait des instructions, qu'elle transmettait à sa jument, et celle-ci obéissait facilement. Sentant sa confiance croître, portée par le rythme régulier de son cheval, elle s'autorisa à regarder le paysage et goûter la caresse du soleil matinal sur son visage.

— *Maintenant, au trot*, annonça Christophe tout à coup.

Elle le regarda avec inquiétude.

— Mon français n'est peut-être pas aussi bon que je le croyais. Avez-vous dit « au trot » ?

— Votre français est parfait, Serenity.

— Le pas me convient parfaitement, répliqua-t-elle, boudeuse. Je ne suis absolument pas pressée.

— Il faut accompagner les mouvements du cheval, répliqua-t-il sans se soucier de son commentaire. Vous vous soulevez à chaque foulée. Pressez légèrement les talons.

— Attendez…

— Vous avez peur ?

Piquée par son regard et son sourcil narquois, elle donna un coup de talon aux flancs de son cheval… et le regretta aussitôt.

*Voilà ce que ça doit faire d'être attachée à l'un de ces maudits marteaux-piqueurs qui défoncent les rues à longueur de journée*, songea-t-elle, le souffle entrecoupé et brinquebalée sans aucune grâce sur le dos de sa monture.

— Soulevez-vous à chaque foulée, lui rappela-t-il.

Elle était trop absorbée par ses difficultés pour voir l'immense sourire qui accompagnait ses conseils. Fort heureusement, après quelques secousses embarrassantes, elle prit le rythme.

— *Ça va ?* s'enquit-il à sa hauteur sur le chemin poussiéreux.

— Maintenant que mes os ont cessé de gesticuler, ce n'est pas si désagréable. En fait, se ravisa-t-elle en lui souriant, c'est même amusant.

— *Bon.* Alors maintenant, au galop.

Elle le foudroya du regard.

— Vraiment, Christophe, si vous tenez à m'assassiner, une dose de poison, ou un bon coup de couteau dans le dos, devraient suffire.

Son éclat de rire, riche, sonore, et déstabilisant, vibra dans la quiétude matinale. Et, lorsqu'il tourna son grand sourire vers elle, elle sentit le monde vaciller et comprit que son cœur, quelles que soient ses mises en garde, était perdu.

— *Allons, ma belle !* s'exclama-t-il d'une voix légère à l'insouciance contagieuse. Pressez les talons, et je vais vous apprendre à voler.

Ses pieds obéirent d'eux-mêmes, et la jument docile augmenta son allure pour se lancer dans un galop facile. Serenity sentait le vent traverser ses cheveux et caresser ses joues. Elle avait aussi l'impression de flotter sur un nuage. Etourdie et légère, elle n'arrivait pas à savoir si son vertige était dû au vent ou à l'amour. Mais elle s'en fichait éperdument. Ces deux sensations étaient nouvelles, et seule comptait l'ivresse qui l'emportait.

Au signal de Christophe, elle tira sur ses rênes. Sa jument passa immédiatement du galop au trot, puis du trot au pas, avant de s'immobiliser complètement. Levant son visage vers le ciel, Serenity poussa un profond soupir de plaisir, puis se tourna vers Christophe.

Le vent et l'exaltation avaient rosi ses joues, constata-t-il. Ses yeux d'or grands ouverts étaient lumineux, et ses cheveux ébouriffés entouraient son bonheur d'un halo indiscipliné.

— Cela vous a plu, *mademoiselle* ?

Serenity lui décocha un sourire radieux, encore grisée du vin puissant de l'amour.

— Allez-y, lui lança-t-elle. Dites que vous m'aviez prévenue. Cela m'est parfaitement égal.

— *Mais non*. Je me réjouis simplement de voir une élève si douée.

Il lui rendit son sourire, brisant du même coup l'invisible barrière dressée entre eux.

— Vous faites preuve d'une aisance naturelle surprenante, ajouta-t-il. C'est peut-être génétique, après tout.

— Oh! *monsieur*, répliqua-t-elle en battant des cils espiègles. Tout le mérite revient à mon professeur.

— Vos origines françaises sont nettes, Serenity, mais votre technique a besoin de pratique.

— Je ne suis pas si douée, hein?

Passant une main dans ses cheveux désordonnés, elle laissa échapper un profond soupir.

— J'imagine que je n'y arriverai jamais complètement. Trop de puritains parmi les ancêtres de mon père.

— De puritains?

Son éclat de rire troubla une fois de plus la quiétude matinale.

— Je n'ai jamais vu aucun puritain doté d'une telle fougue!

— Je vais prendre ce commentaire pour un compliment, même si ce n'était pas votre intention.

Serenity détourna les yeux.

— Oh! comme c'est beau! s'exclama-t-elle en découvrant la vallée qui s'étendait à leurs pieds.

Un paysage de carte postale, des collines aux pentes douces ponctuées de troupeaux paisibles et de fermes bien entretenues, s'étirait jusqu'à l'horizon. Dans le lointain, un minuscule village, construit autour d'une église blanche dont le clocher partait à l'assaut du ciel, ressemblait à un jeu disposé par la main d'un géant.

— C'est superbe. J'ai l'impression d'avoir remonté le temps.

Elle revint aux troupeaux.

— Ils sont à vous ? lui demanda-t-elle en les désignant de la main.

— *Oui.*

— Tout cela est donc à vous ? demanda-t-elle encore, vaincue par un brusque accablement.

— C'est une partie du domaine.

Depuis le temps qu'ils chevauchaient, ils étaient encore sur ses terres... Dieu seul savait jusqu'où elles s'étendaient. Cet homme ne pouvait-il donc pas être comme tout le monde ?

Elle posa les yeux sur son profil d'aigle.

Mais il n'était pas comme les autres, se rappela-t-elle. C'était le comte de Kergallen, seigneur et maître de tout ce qu'elle contemplait en ce moment même, et elle ne devait pas l'oublier.

Préoccupée, elle reporta les yeux sur la vallée.

Elle ne voulait pas être amoureuse de lui.

Ravalant le nœud qui se formait dans sa gorge, elle s'abrita derrière cette pensée.

— Ce doit être magnifique de posséder tant de beauté.

Il se tourna vers elle, l'air surpris.

— On ne possède pas la beauté, Serenity. Tout juste peut-on en prendre soin et la chérir.

Déconcertée par la douceur de sa réponse, elle repoussa l'agréable sensation qui la gagnait et garda résolument les yeux posés sur la vallée.

— Vraiment ? Je croyais que les jeunes aristo-crates tenaient ce genre de choses pour acquises.

Après tout, poursuivit-elle avec un ample geste de la main, tout cela vous appartient.

— Vous ne goûtez guère l'aristocratie, Serenity, mais ce sang coule aussi dans vos veines.

Elle fronça les sourcils, ce qui fit naître un sourire sur les lèvres de Christophe.

— Le père de votre mère, bien que son domaine ait été ravagé durant la guerre, était également comte, lui apprit-il avec une obligeance aussi froide que détachée. Le Raphaël était l'un des quelques trésors que votre grand-mère avait sauvés en s'échappant.

*Encore ce fichu tableau!* songea-t-elle sombrement. Quant à Christophe, il était maintenant en colère. C'était visible dans la dureté de son regard. Curieusement, elle s'en trouvait satisfaite. S'ils restaient à couteaux tirés, elle aurait moins de mal à dominer les sentiments qu'elle éprouvait pour lui.

— Demi-aristocrate de naissance, je suis donc à moitié roturière, répliqua-t-elle en rejetant son argument. Eh bien, *mon cher cousin,* sachez que je préfère largement mon côté prolétaire. Je vous laisse le sang bleu de la famille.

— Je vous rappelle qu'il n'y a aucun lien de sang entre nous, *mademoiselle.* Vous feriez bien de vous en souvenir.

Sa voix sourde et son regard tendu lui inspirèrent un frisson d'inquiétude.

— Les Kergallen sont connus pour obtenir ce qu'ils veulent, ajouta-t-il, et je ne fais pas exception.

Faites attention à la façon dont vous vous servez de vos yeux d'ambre.

— Inutile de me mettre en garde, *monsieur*. Je sais me défendre toute seule.

Un sourire lent, plein d'assurance et plus troublant qu'une réplique furieuse, s'étira sur les lèvres de Christophe, puis il tourna son cheval et se mit en route vers le château.

Le retour se fit en silence. Serenity se contenta de suivre les quelques instructions que Christophe lui donnait, songeant qu'ils avaient de nouveau croisé le fer, et qu'il avait facilement paré ses coups.

Arrivés aux écuries, il mit pied à terre avec aisance. Avant qu'elle n'ait le temps de se passer de lui, il tendit ses rênes au palefrenier et vint l'aider à descendre. Ignorant la raideur de ses muscles, elle glissa de sa monture dans les bras qu'il lui tendait. Il la maintint par la taille, le temps de la considérer d'un œil sombre, presque menaçant.

— Allez prendre un bain chaud, lui dit-il, cela soulagera vos courbatures.

Il la lâcha, mais elle continuait de sentir, à travers le fin tissu de son T-shirt, la marque brûlante de ses mains.

— Votre capacité à donner des ordres est stupéfiante, *monsieur*.

Elle vit son regard se rétrécir, mais n'eut pas le temps d'anticiper son geste. En un éclair, elle se retrouva plaquée contre lui, les lèvres écrasées par un baiser dur, profond, qui, non content de balayer toute velléité de lutte ou de protestation, déclencha en elle une vague de sensations irrésistibles.

Prisonnière de cette étreinte, dominée par une volonté contre laquelle elle ne pouvait rien, elle se sentit glisser dans ce baiser passionné. Et plus il durait, plus la fougue de Christophe, l'intensité de sa langue, libéraient en elle un besoin primitif et inconnu. Alors, vaincue par une exigence qu'elle ne pouvait défaire, renonçant à sa fierté pour s'ouvrir à l'amour, elle capitula. Le monde, comme une aquarelle diluée sous la pluie, s'effaça, emportant avec lui les couleurs du paysage breton pour ne laisser que deux corps brûlants, et des lèvres affamées qui cherchaient son abandon. La main de Christophe, posée sur sa hanche, remonta dans son dos avec autorité et la plaqua contre lui avec une force stupéfiante.

L'amour, se dit-elle, prise d'un vertige insensé. Mais l'amour était une promenade sous la bruine, une soirée tranquille devant un feu de cheminée, pas cette tempête tourbillonnante qui lui coupait le souffle et les jambes pour la laisser affaiblie, hors d'haleine et vulnérable. Comment pouvait-on désirer être démunie et fragile *à ce point*? Etait-ce là ce qu'avait vécu sa mère? L'origine du voile rêveur posé sur son regard?

Allait-il jamais la libérer? se demanda-t-elle, désespérée, tandis qu'elle sentait ses propres bras trahir sa volonté et se nouer autour de son cou.

Il s'écarta très légèrement.

— *Mademoiselle*, murmura-t-il d'un ton moqueur contre ses lèvres tout en lui caressant la nuque, vous avez le don de vous attirer des sanctions, et de m'inspirer le besoin urgent de vous discipliner.

Sur cette déclaration, il la relâcha et s'éloigna d'un pas tranquille, ne s'arrêtant que pour caresser Korrigan qui s'était fidèlement lancé à sa poursuite.

## Chapitre 5

Sur la terrasse entourée de végétation, Serenity déjeunait en compagnie de la comtesse. Refusant poliment le vin qu'on lui proposait pour accompagner la bisque d'écrevisse, elle avait demandé du café et ignoré le sourcil blanc et réprobateur que cette requête lui avait valu.

Elle passait certainement pour une béotienne, se dit-elle en réprimant un sourire, tout en savourant une gorgée du liquide noir et fort, mais elle s'en moquait.

— J'espère que votre promenade vous a plu, avança la comtesse après quelques échanges courtois sur le contenu de leurs assiettes et le temps.

— Oui, *madame*, à ma plus grande stupéfaction, admit-elle. Mon seul regret est de ne pas avoir appris l'équitation plus tôt. Votre domaine est splendide.

— Christophe est très fier de ses terres, lui dit la comtesse. A juste titre, renchérit-elle en examinant le vin pâle dans son verre. Il les aime passionnément, comme un homme peut aimer une femme. Mais si la terre est éternelle, c'est aussi une amante bien froide. Et un homme a besoin d'une femme.

Déconcertée par la franchise de sa grand-mère, et son brusque abandon des convenances, Serenity haussa légèrement les épaules.

— Je suis sûre qu'il n'a aucun mal à trouver des maîtresses plus chaleureuses.

Il n'avait certainement qu'à claquer des doigts pour en voir tomber des douzaines à ses pieds, se dit-elle en réprimant une pointe de jalousie féroce.

— *Naturellement,* répliqua la comtesse, une lueur amusée au fond des yeux. Comment pourrait-il en être autrement ?

Elle digéra l'information tandis que sa grand-mère, levant son verre, poursuivait :

— Mais les hommes finissent par avoir besoin de stabilité, même ceux tels que Christophe. Ah, il ressemble tellement à son grand-père…

Levant vivement les yeux sur le soupir de sa grand-mère, Serenity vit la douceur se peindre sur son visage anguleux et en transformer les traits.

— Ils sont fiers, ces hommes de Kergallen, dominateurs, virils et arrogants. Les femmes qu'ils aiment reçoivent l'enfer et le paradis en partage.

Les yeux bleus l'épinglèrent et lui sourirent.

— Celles-ci, de leur côté, doivent être assez fortes pour pouvoir leur tenir tête, et assez sages pour savoir quand leur céder.

Sortant tout à coup de l'envoûtement dans lequel l'avaient plongée ces propos, elle repoussa son assiette.

— *Madame,* commença-t-elle dans le but de

lever le moindre malentendu, je n'ai aucune intention de participer au concours pour la conquête du comte actuel. De mon point de vue, nous sommes parfaitement mal assortis.

Elle n'avait pas fini sa phrase que la sensation des lèvres plaquées contre les siennes, l'exigence du corps bandé contre le sien, lui revenaient à la mémoire et la faisaient frémir. Les yeux résolument plantés dans ceux de sa grand-mère, elle secoua la tête avec énergie.

— Non ! s'exclama-t-elle. Non.

Sans chercher à savoir si elle s'adressait à son cœur ou à la femme assise devant elle, elle se leva et rentra précipitamment au château.


La lune, ronde et brillante au firmament du ciel étoilé, déversait ses rayons argentés au milieu de la chambre. Serenity, misérable, endolorie et irritable, n'arrivait plus à dormir. Prétextant une migraine pour s'arracher à l'homme qui assombrissait ses pensées, elle s'était pourtant retirée tôt. Mais le sommeil n'était pas venu facilement. Et voilà, quelques heures à peine après l'avoir saisie, qu'il s'échappait de nouveau. Elle se tourna de l'autre côté du lit dans un gémissement douloureux.

Elle payait le prix de sa petite aventure matinale, se dit-elle en s'asseyant avec une grimace. Un nouveau bain lui ferait peut-être du bien… Décidant qu'il ne risquait pas d'aggraver ses souffrances, elle se leva et, ignorant la violente protestation de ses muscles, comme sa robe de chambre posée au pied du lit, se dirigea vers la salle de bains. Elle se cogna malheureusement le tibia contre un élégant fauteuil Louis XVI placé sur son chemin.

Poussant un cri de douleur et de colère, elle ramassa le siège renversé et, tout en se frottant énergiquement la jambe, s'appuya dessus.

— Quoi ? répondit-elle sans ménagement au coup frappé contre sa porte.

Celle-ci s'ouvrit et Christophe, en pyjama et robe de chambre de soie bleu royal, apparut dans l'encadrement.

— Vous seriez-vous blessée, Serenity ?

Elle n'avait pas besoin de voir son visage pour saisir le sarcasme.

— Je me suis seulement cassé la jambe, répliqua-t-elle, acerbe. Inutile de vous inquiéter.

— Peut-on savoir ce que vous faites dans le noir, debout à cette heure ?

Il était adossé au chambranle, et son calme imperturbable, sa nonchalance et son arrogance, agirent sur elle comme un catalyseur.

— Je vais vous dire ce que je fais dans le noir, espèce de brute suffisante ! commença-t-elle dans un souffle furibond. J'allais prendre un bain dans l'espoir de noyer les souffrances que *vous* m'avez infligées aujourd'hui !

— Moi ? s'enquit Christophe, amusé.

Elle était visiblement bien trop furieuse pour noter

son regard ou s'apercevoir du spectacle qu'elle lui offrait. Mais le clair de lune, à travers le tissu léger de sa vaporeuse chemise de nuit, révélait tous les détails de ses formes harmonieuses, sa silhouette fine, ses longues jambes élancées et le pur albâtre de sa peau.

— Oui, vous ! répliqua-t-elle. C'est vous qui m'avez hissée sur ce cheval, ce matin. Et, maintenant, le moindre de mes muscles se venge.

Elle passa la main sur ses reins douloureux.

— Si ça trouve, gémit-elle, je ne marcherai plus jamais correctement.

— Ah.

— C'est incroyable ce qu'une syllabe peut exprimer, railla-t-elle avec un regard meurtrier. Vous pourriez mieux faire ?

— *Ma pauvre chérie,* murmura-t-il avec une sympathie exagérée. *Je suis désolé.*

Le voyant s'écarter de la porte et avancer vers elle, Serenity se souvint brusquement qu'elle était en chemise de nuit.

— Christophe, commença-t-elle, les yeux écarquillés, je...

Mais ses mots moururent dans sa gorge. Il avait posé les mains sur ses épaules et commençait à la masser.

— Vous avez découvert l'existence de nouveaux muscles, n'est-ce pas ? Et ils ne sont pas très obligeants. Ce ne sera pas aussi douloureux la prochaine fois.

Il la poussa vers son lit et la força à s'asseoir. Ce

qu'elle fit sans résister, goûtant seulement la fermeté de ses doigts sur sa nuque et ses épaules nues. Elle ne protesta pas davantage lorsqu'il glissa derrière elle pour poursuivre son massage sur son dos : elle sentait, sous ses mains habiles, toute douleur s'effacer.

Emportée par une douce léthargie, elle s'abandonna un peu plus contre lui.

— Vous avez des mains magiques, murmura-t-elle dans un soupir. Des doigts merveilleusement forts. Je ne vais pas tarder à ronronner.

Elle n'aurait su dire à quel moment la transition s'opéra, quand son assoupissement bienheureux se mua en un léger frémissement, quand le massage de Christophe glissa de la neutralité à la caresse, mais elle sentit tout à coup qu'elle avait beaucoup trop chaud et que la tête lui tournait.

— Je me sens mieux, beaucoup mieux, bredouilla-t-elle en voulant s'écarter.

Mais ses mains s'abattirent sur ses hanches et l'empêchèrent de bouger. Complètement immobile, elle sentit les lèvres de Christophe chercher le creux sensible de sa nuque et y déposer un baiser aussi léger qu'une plume. Un frémissement terrible la parcourut, puis elle tressaillit comme une biche effarouchée. Hélas, avant qu'elle ne puisse lui échapper, il avait surgi devant elle et, coupant court à toute protestation, s'emparait de sa bouche.

Elle n'eut aucune chance de lutter. Ce qui avait débuté comme un frémissement s'était transformé en brasier, et, entraînée par les bras de Christophe qui se refermaient sur elle, elle se laissa allonger. Sa bouche la dévorait avec une assurance presque effrayante, et ses mains la parcouraient comme s'il lui avait fait l'amour des milliers de fois. D'un geste vif, il fit glisser la bretelle de son déshabillé sur son épaule, chercha, et trouva son sein. Electrifiée par ce contact sur sa peau nue, emportée par la tempête de désir qu'il déclenchait en elle, elle se pressa davantage contre lui. Ses mains, plus insistantes, glissèrent alors sur la soie de sa chemise de nuit, et ses lèvres partirent à l'assaut de sa gorge avec une voracité qui lui semblait insatiable.

— Christophe, gémit-elle, se sentant incapable de lutter à la fois contre lui et contre sa propre faiblesse. Christophe, je ne veux pas me battre. Je ne gagnerai jamais.

— Ne vous défendez pas, *ma belle,* murmura-t-il contre sa gorge, et nous gagnerons tous les deux.

Il reprit possession de sa bouche avec une douceur, une lenteur qui ne firent qu'accroître et galvaniser son désir. Puis, abandonnant sa bouche pour explorer son visage, il effleura ses pommettes, mordilla ses lèvres entrouvertes avant de repartir une nouvelle fois à leur conquête. La main paresseuse qui s'était emparée de son sein pressait maintenant son galbe, ses doigts s'attardaient sur son mamelon… Envahie par une onde de plaisir, un délicieux supplice, elle exhala un soupir et laissa ses mains partir à la recherche des muscles de son dos. Elle les pressa, comme pour sentir toute leur puissance, en extraire toute la force de l'attraction qu'il exerçait sur elle.

Sa réaction dut souffler sur les braises de sa passion, car ses caresses reprirent leur fougue un instant oubliée, et sa bouche, tout à l'heure paresseuse, l'assaillait maintenant avec force, ravageant ses sens, sa raison, et réclamant plus que son abandon, une passion égale à la fièvre qui le consumait.

La main posée sur sa poitrine descendit sur sa taille, sa hanche, puis poursuivit sa route brûlante et possessive sur sa cuisse, tandis qu'il laissait courir ses lèvres de sa bouche à sa gorge pour les poser au creux de ses seins. Elle ne respirait plus que par intermittence.

Elle comprit alors, dans un ultime sursaut, qu'elle était au bord du précipice. Un pas de plus, et elle sombrerait dans un gouffre sans fond.

— Christophe, s'il vous plaît.

Elle frissonnait, malgré la chaleur du brasier qui l'entourait.

— S'il vous plaît, vous me faites peur. Je me fais peur. Je n'ai jamais... C'est... la première fois.

Sous le coup de la surprise, Christophe s'immobilisa puis, dans un silence de plus en plus lourd, s'écarta pour la regarder. Les rayons de lune donnaient un éclat d'argent à la blondeur de ses cheveux répandus sur l'oreiller, et l'ambre de son regard était voilé de passion et de frayeur.

Laissant échapper une courte et dure exclamation, il se redressa tout à fait.

— Vous avez le don de choisir vos moments, Serenity.

— Je suis désolée, commença-t-elle en s'asseyant.

— De quoi ? demanda-t-il d'un ton glacial où perçait sa colère. De votre innocence, ou de vous refuser après m'avoir conduit au point de vous la ravir ?

— Ce que vous insinuez est ignoble ! répliqua-t-elle, frémissante. Tout est allé si vite que je n'ai pas eu le temps de réagir. Si j'avais su, vous ne seriez jamais allé aussi loin.

— Vous croyez ?

Il la tira pour la plaquer, agenouillée, contre lui.

— Maintenant, vous savez. Et croyez-vous sincèrement que je ne peux pas avoir, en cette seconde, ce que je veux, et avec votre entier consentement ?

Il la regardait, sûr de lui et furieux. Quant à elle, visiblement aussi démunie face à son autorité que face au désir qui la consumait, elle restait silencieuse, ses yeux grands ouverts, brillants de crainte et d'innocence.

— *Nom de Dieu !* fit-il en la lâchant brusquement. Vous me regardez avec les yeux d'une enfant. Votre corps dissimule bien votre candeur, Serenity ; c'est un leurre dangereusement trompeur.

Il se leva et, devant la porte, se retourna sur la silhouette légèrement vêtue, qui semblait bien petite au milieu du vaste lit.

— Dormez bien, *ma jolie*, lui lança-t-il avec une pointe d'ironie. Mais à l'avenir, quand vous décidez de foncer sur les meubles en pleine nuit, assurez-vous de fermer la porte à clé. Je ne partirai pas une seconde fois.

Le lendemain matin, à la table du petit déjeuner, Serenity gratifia Christophe d'un bonjour froid et succinct. Il lui répondit sur le même ton, accompagnant ses mots d'un regard bref, aussi dénué de passion que de la colère qu'elle y avait vues la veille.

Ce contraste, doublé de l'aisance avec laquelle il poursuivait son bavardage avec la comtesse, ne tardèrent pas à l'agacer. Tout comme la façon dont il s'adressait à elle : uniquement lorsque c'était nécessaire et avec une stricte politesse qui, pour être courtoise, n'en restait pas moins désobligeante.

— Tu n'as pas oublié que Geneviève et Yves viennent dîner, ce soir ? lui demanda la comtesse.

— *Mais non, grand-mère*, la rassura-t-il en posant sa tasse. Leur visite est toujours un plaisir.

La comtesse tourna alors sur elle ses yeux vifs.

— Je suis sûre que vous allez les apprécier, Serenity. Geneviève a le même âge que vous, ou peut-être un an de moins. C'est une jeune femme délicieuse et très bien élevée. Quant à son frère, Yves, il est absolument charmant et très bel homme. Je ne doute pas, poursuivit-elle dans un sourire, que vous trouviez sa compagnie, comment dirais-je, divertissante. Qu'en penses-tu, Christophe ?

— Je suis certain que Serenity va trouver Yves hautement distrayant.

Surprise par la pointe de brusquerie qu'elle crut déceler dans sa voix, elle lui jeta un regard intrigué. Mais il buvait tranquillement son café, et elle décida qu'elle s'était trompée sur son humeur.

— Les Dejot sont des amis de longue date de la famille, poursuivit la comtesse en attirant de nouveau son attention. C'est toujours un plaisir de rencontrer des jeunes gens de son âge, *n'est-ce pas ?* Geneviève vient souvent au château. Lorsqu'elle était petite, elle suivait Christophe absolument partout. *Bien sûr,* elle n'est plus une enfant, acheva-t-elle en couvant d'un regard entendu celui qui occupait la place du maître, au bout de la grande table de chêne.

Serenity dut faire appel à toute sa volonté pour réprimer la grimace que lui inspirait ce commentaire.

— En effet, approuva chaleureusement Christophe, la gamine d'hier est devenue une magnifique jeune femme.

*Tant mieux pour elle,* songea Serenity en s'efforçant de garder un sourire intéressé aux lèvres.

— Oh ! elle fera une épouse merveilleuse, renchérit la comtesse. Elle est si belle et possède une telle grâce ! Nous devons absolument la convaincre de jouer pour vous ce soir, Serenity. C'est une pianiste de très grand talent.

*Et une qualité de plus pour le parangon de vertu,* rumina-t-elle, lamentablement jalouse de l'invisible

Geneviève et des relations de toute évidence intimes qu'elle entretenait avec Christophe.

— J'ai hâte de rencontrer vos amis, *madame*, dit-elle en se rappelant de détester la parfaite Geneviève au premier regard.

La matinée s'écoula dans un soleil radieux et un silence paresseux. Après le petit déjeuner, Serenity avait décidé de prendre ses carnets de croquis et de s'installer dehors pour faire quelques esquisses. En arrivant, elle avait croisé le jardinier. Ils avaient échangé quelques mots, puis chacun s'était absorbé dans ses tâches respectives. Trouvant en lui un bon sujet d'étude, elle s'était mise à le dessiner penché sur les buissons, taillant les fleurs fanées, ponctuant ses gestes de commentaires bourrus ou d'encouragements, tous destinés à ses amies colorées et parfumées.

Au milieu de son visage buriné et sans âge brillait un regard bleu d'une stupéfiante clarté. Il portait un chapeau noir à grand bord, et les deux extrémités du ruban de velours qui pendaient à l'arrière offraient un contraste saisissant avec sa crinière gris acier. Vêtu d'un gilet, d'un vieux pantalon court serré aux genoux, il faisait aussi preuve d'une agilité stupéfiante dans ses sabots de bois.

Concentrée sur son travail, Serenity n'entendit pas les pas qui remontaient l'allée.

Christophe s'arrêta un moment pour la regarder.

Ainsi penchée, la courbe gracieuse de son cou lui faisait penser à l'image d'un cygne glissant fièrement sur la surface polie d'un lac. La voyant coincer son crayon derrière son oreille et passer une main distraite dans ses cheveux, il décida de se manifester.

— Vous avez merveilleusement saisi Jacques, Serenity.

Son sursaut, tandis qu'elle portait vivement la main sur son cœur, lui arracha un sourire.

— Je ne savais pas que vous étiez là, dit Serenity, en maudissant l'essoufflement de sa voix et l'emballement de son cœur.

— Vous étiez très absorbée, lui offrit-il en s'asseyant à son côté sur le banc de marbre blanc. Je ne voulais pas vous déranger.

Il aurait pu se trouver à des milliers de kilomètres, songea-t-elle, découragée, il l'aurait dérangée.

— *Merci*, répondit-elle, polie. C'est très aimable à vous. Ah, Korrigan, *comment vas-tu ?*

Préférant s'intéresser à l'épagneul sagement assis à leurs pieds, elle le gratta derrière l'oreille et celui-ci lui lécha énergiquement la main.

— Korrigan vous aime beaucoup, remarqua Christophe. D'habitude, il est plus réservé, mais il semble que vous ayez ravi son cœur.

Au même moment, Korrigan s'écroulait en adoration à ses pieds.

— Un amoureux très démonstratif, dit-elle en montrant sa main trempée.

— C'est un faible prix à payer en regard d'une telle adoration.

Il sortit un mouchoir et lui saisit la main pour l'essuyer. Aussitôt, Serenity sentit des crépitements intenses se déclencher au bout de ses doigts pour remonter le long de son bras et se répandre comme une traînée de poudre dans tout son corps.

— Inutile, s'empressa-t-elle en tentant de reprendre sa main, j'ai un chiffon dans ma boîte à crayons.

Il resserra son étreinte. Se découvrant prisonnière, au terme d'une courte lutte silencieuse, elle poussa un soupir excédé et lui abandonna sa main.

— Vous n'en faites toujours qu'à votre tête ? demanda-t-elle, furieuse.

— *Toujours,* répliqua-t-il avec une assurance irritante avant de relâcher sa main. J'ai l'impression que c'est aussi votre cas, Serenity Smith. Nous pourrions profiter de votre séjour pour faire un concours, nous verrions qui de nous deux l'emporte.

— Dans ce cas, je vous conseille de noter les scores, suggéra-t-elle en se retirant derrière la froideur plutôt que de céder au charme de son humour discret. Pour que le gagnant ne fasse aucun doute.

Un sourire s'étira sur ses lèvres.

— Mais il ne fera aucun doute, *cousine.*

L'apparition de la comtesse l'empêcha de répondre. Jugeant qu'il valait mieux se taire que s'exposer aux questions que sa réplique ne manquerait pas de soulever, elle afficha un air détendu.

— Bonjour, mes enfants, leur dit la comtesse.

Serenity regarda, un peu surprise, le sourire maternel qui étirait les traits de sa grand-mère.

— Je vois que vous profitez du jardin. C'est la plus belle heure pour en apprécier toutes les beautés.

— Il est splendide, *madame*, répondit-elle. Le reste du monde s'efface devant les couleurs et les parfums que l'on perçoit de cet endroit.

— J'ai souvent eu cette impression sur ce banc, approuva sa grand-mère avec douceur. J'ai passé tant d'heures ici même…

Elle s'assit en face d'eux.

— Qu'avez-vous dessiné ?

Serenity lui tendit son carnet, et la comtesse étudia longuement son dessin avant de relever des yeux pensifs sur elle.

— Vous avez le talent de votre père.

Brusquée par l'évidente réticence de cet aveu, Serenity faillit riposter, mais la comtesse poursuivit :

— C'était un artiste de grand talent. Je commence à penser qu'il avait quelques qualités pour avoir gagné l'amour de Gaelle et votre loyauté.

— Oui, *madame*, répondit-elle en comprenant que sa grand-mère faisait une concession difficile. C'était un homme très bon, un père et un mari aimant.

Elle faillit évoquer le Raphaël, mais se retint. Ce n'était pas le moment de rompre le lien ténu qui était en train de se nouer entre elles. La comtesse opina puis, se tournant vers Christophe, parla du dîner.

Profitant de cette diversion, Serenity reprit son

bloc et ses crayons et commença à dessiner sa grand-mère. Le bourdonnement des voix, en harmonie avec l'atmosphère du jardin, ne la poussait pas à participer à la conversation. Se laissant au contraire bercer par ce murmure apaisant et tranquille, elle s'absorba tout à fait dans son dessin.

Reproduire les traits fins, la bouche qu'elle découvrait étonnamment vulnérable, lui montrait plus clairement la ressemblance de la comtesse avec sa mère et donc, songea-t-elle sans vraiment s'y arrêter, avec elle-même. L'expression de son visage était détendue, et sa beauté sans âge affichait une évidente fierté. Mais Serenity décelait, à travers la douceur et la fragilité qui avaient été celles de sa mère, la personnalité d'une femme capable d'aimer profondément et, par conséquent, de souffrir profondément. Pour la première fois depuis qu'elle avait reçu la lettre austère, elle sentait naître un lien de parenté, le premier frémissement d'amour envers la femme qui avait enfanté sa mère, l'inconnue à laquelle elle devait la vie, sa grand-mère.

Concentrée sur son dessin, elle n'avait aucune conscience de la variété d'expressions qui traversaient son propre visage, ni de l'homme à côté d'elle, qui observait ces transformations tout en poursuivant sa conversation. Son dessin terminé, elle posa son carnet sur ses genoux et s'essuya machinalement les mains, avant de sursauter, surprise de croiser le regard de Christophe posé sur elle. Il baissa les yeux sur son carnet et les releva, l'air déconcerté.

— Vous avez un talent rare, *ma chère*, murmura-t-il.

Elle plissa le front, ne sachant pas s'il parlait de son travail ou de quelque chose d'entièrement différent.

— Qu'avez-vous dessiné ? lui demanda la comtesse.

Serenity s'arracha au regard envoûtant de Christophe pour tendre son portrait à sa grand-mère.

La comtesse l'étudia longuement, d'abord surprise, puis affichant une expression indéfinissable, avant de relever des yeux souriants sur elle.

— Je suis honorée et flattée, *mon enfant*. Si vous me le permettez, j'aimerais vous acheter ce dessin. Par vanité, poursuivit-elle d'une manière charmante, mais aussi parce que j'aimerais avoir un exemple de votre travail.

Ce fut au tour de Serenity, partagée entre la fierté et l'amour, de la dévisager.

— Je suis désolée, *madame*, répondit-elle enfin en reprenant son carnet. Il n'est pas à vendre.

Elle baissa les yeux sur la feuille avant de la détacher du bloc et de la lui tendre.

— Je vous en fais cadeau, *grand-mère*.

Elle regarda la palette d'émotions se succéder sur les traits fins et poursuivit :

— Acceptez-vous ce présent ?

— *Oui*. Et je vais le chérir. Il me rappellera qu'on ne doit jamais laisser l'orgueil l'emporter sur l'amour.

Elle se leva, déposa un baiser sur la joue de sa petite-fille, et partit vers le château.

Serenity se mit debout à son tour mais, trop

émue pour lui emboîter le pas, resta immobile et silencieuse.

— Vous avez le don de susciter l'amour, observa Christophe dans son dos.

Elle fit volte-face.

— C'est aussi ma grand-mère, attaqua-t-elle, les yeux brillants.

Il se leva aussitôt.

— C'était un compliment.

— Vraiment ? A vous entendre, j'aurais plutôt cru le contraire.

Submergée d'émotions, elle était incapable de savoir si elle voulait être seule ou se réfugier entre ses bras.

— Vous êtes toujours sur la défensive avec moi, n'est-ce pas, Serenity ?

Il plissait les yeux, comme il le faisait lorsqu'il était en colère, mais elle n'avait que faire de son humeur. Ses émotions étaient trop violentes.

— Vous me donnez toutes les raisons de l'être, répliqua-t-elle. A l'instant où je suis descendue du train, vous n'avez fait aucun mystère de vos sentiments à mon égard. Vous nous avez condamnés, moi et mon père. Vous êtes froid, tyrannique, sans aucune once de compassion ou de compréhension. Partez et laissez-moi tranquille ! Allez donc fouetter l'un de vos gueux, cette occupation vous va comme un gant.

Il réagit si rapidement qu'elle n'eut pas le temps

de s'écarter. Ses bras l'enserrèrent, et elle se trouva plaquée contre lui.

— Vous avez peur ? lui demanda-t-il avant d'écraser ses lèvres sur les siennes.

Toute réflexion l'abandonna. Assaillie par la douleur et le plaisir que lui infligeait sa bouche, elle gémit, les jambes et le souffle coupés par son étreinte conquérante.

Comment était-il possible d'aimer et de haïr à la fois ?

Elle n'eut pas le temps de répondre à Christophe. Sa question était noyée dans le flot tumultueux de la passion, et des doigts rudes passés dans ses cheveux la tiraient en arrière pour exposer sa gorge à l'exigence d'une bouche brûlante et affamée. La fine étoffe de son chemisier n'était qu'une frêle barrière contre la sensualité qu'il dégageait, mais cette ultime défense lui fut à son tour retirée. Glissant la main dessous, il remonta sur sa taille et s'empara de son sein avec une autorité dévastatrice.

Sa bouche revint sur la sienne, pleine d'une douloureuse douceur et d'une exigence auxquelles elle ne pouvait absolument pas se soustraire. Alors, cessant de s'interroger sur la complexité de son amour, elle céda à l'ouragan de sensations et de désir qui l'emportait.

Lorsqu'il s'écarta, le regard brûlant de colère et de passion, elle comprit, terrifiée, à quel point il la voulait. Personne ne l'avait jamais désirée avec autant de force. Et personne n'avait jamais été en mesure de la faire céder avec autant de facilité. Car, même s'il ne l'aimait pas, elle savait qu'elle allait lui céder ; et, même si elle ne lui cédait pas, elle savait qu'il obtiendrait ce qu'il voulait.

Il dut lire sa reddition dans son regard, car il lui dit, d'une voix sourde et menaçante :

— *Oui, petite cousine,* vous avez raison d'avoir peur, parce que vous savez ce qui va se passer. Pour le moment, vous êtes en sécurité. Mais, la prochaine fois que vous me provoquerez, prenez garde à l'endroit où vous le ferez.

Il la lâcha et s'éloigna d'un pas tranquille sur le chemin qu'avait emprunté sa grand-mère. Korrigan bondit sur ses pattes et, après avoir aboyé dans sa direction, s'élança sur les talons de son maître.

# *Chapitre 6*

Profitant de la tranquillité de sa chambre pour calmer les émotions qui l'assaillaient et décider d'un plan d'action, Serenity se prépara avec soin pour le dîner. Aucun raisonnement ne pouvait dissimuler le fait qu'elle était tombée éperdument amoureuse d'un homme qu'elle connaissait à peine et qui la terrifiait autant qu'il la fascinait.

Un homme arrogant, autoritaire, et odieusement têtu, ajouta-t-elle en remontant la fermeture Eclair de sa robe. Et qui, en plus, tenait son père pour un voleur.

Comment avait-elle pu laisser cette catastrophe se produire ? Mais comment aurait-elle pu l'éviter ? se reprit-elle dans un soupir.

Son cœur l'avait trahie. Mais elle avait toujours la tête sur les épaules, et elle allait s'en servir. Pour commencer, il n'était pas question de laisser Christophe se rendre compte qu'elle était amoureuse de lui ; il ne manquerait plus qu'elle subisse ses sarcasmes !

Devant la coiffeuse de merisier, elle brossa ses cheveux bouclés et retoucha son maquillage léger.

Ses peintures de guerre, décréta-t-elle avec un sourire satisfait. Elles étaient de circonstance, parce qu'elle préférait lui faire la guerre que lui déclarer son amour. Son sourire féroce ne tarda pourtant pas à se faner. Il ne s'agissait pas seulement de Christophe, ce soir. Il y avait aussi cette Mlle Dejot.

Elle se leva et vérifia sa tenue dans la psyché. La soie ambre de sa robe, discrètement assortie à la couleur de ses yeux, donnait une touche chaleureuse à sa peau crémeuse. De fines bretelles mettaient ses épaules en valeur, son décolleté soulignait subtilement l'arrondi de sa poitrine, et les plis flottaient gracieusement sur ses hanches. L'ensemble, conclut-elle, accentuait sa beauté fragile et délicate.

Elle fronça les sourcils. Elle ne voulait pas avoir l'air fragile, mais chic et assuré. Un coup d'œil sur l'horloge lui confirma qu'elle n'avait malheureusement plus le temps de se changer. Alors, enfilant ses escarpins et vaporisant un nuage de parfum autour d'elle, elle s'élança vers la porte.

Au rez-de-chaussée, le murmure des voix dans le salon lui apprit que les invités étaient déjà arrivés. En franchissant le seuil, elle embrassa, d'un seul regard, le tableau qui s'offrait à ses yeux. Le beau parquet de chêne, la teinte chaleureuse des lambris, les hautes fenêtres aux vitres cloisonnées, l'immense cheminée de pierre et son manteau sculpté composaient l'arrière-plan idéal aux hôtes élégants qui occupaient la pièce, dont la comtesse, incontestable reine des lieux dans sa robe de soie rouge.

Christophe était en tenue de soirée. Le noir absolu de son costume mettait en relief la blancheur immaculée de sa chemise et le hâle de son visage. Yves Dejot, également vêtu de noir, avait une carnation plus dorée que bronze, et ses cheveux étaient d'un châtain inattendu. Mais c'était la jeune femme assise entre eux qui attirait son regard et, malgré elle, son admiration. Si sa grand-mère était la reine, se dit-elle, Geneviève Dejot était la princesse. Des cheveux de jais encadraient la beauté saisissante d'un délicat visage. Ses grands yeux en amande, brun doré, accompagnaient une expression engageante, et sa robe vert profond donnait un éclat chatoyant à sa peau mordorée.

A son entrée, les deux hommes se levèrent. Peu disposée à subir le regard écrasant que Christophe faisait généralement peser sur elle, Serenity accorda son attention à l'inconnu. Les présentations lui donnèrent l'occasion de constater que le châtain de ses iris était de la même couleur que ses cheveux et qu'il la contemplait avec un indéniable plaisir et une lueur tout aussi évidente d'espièglerie.

— Tu ne m'avais pas dit, *mon ami*, que ta cousine était aussi délicieuse.

Il se pencha pour effleurer ses doigts d'un élégant baisemain.

— Je vais devoir, durant votre séjour, venir plus souvent au château, *mademoiselle*.

Elle sourit, sincèrement charmée, et jugea Yves Dejot aussi séduisant qu'inoffensif.

— Soyez sûr que cette perspective ne le rend déjà que plus agréable, *monsieur*, répondit-elle sur le même ton en s'attirant un sourire radieux.

Christophe poursuivit les présentations, et Serenity serra une main fine et hésitante.

— Je suis très heureuse de faire enfin votre connaissance, mademoiselle Smith, lui offrit Geneviève avec un sourire chaleureux. Vous ressemblez tellement à votre mère qu'il semble que son portrait ait pris vie.

La tonalité était sincère, et elle s'aperçut qu'elle aurait beau le vouloir elle serait incapable de détester l'adorable jeune femme qui la considérait avec tant de bonté.

La conversation se déroula agréablement pendant l'apéritif et le dîner — débuté sur de délicieuses huîtres au champagne. Les Dejot se révélaient curieux des Etats-Unis en général et de la vie qu'elle menait dans la capitale en particulier. Aussi tenta-t-elle, alors qu'ils savouraient un ris de veau au chablis, de leur décrire la ville des contrastes.

Elle commença par les nobles édifices publics, les lignes et les colonnes gracieuses de la Maison-Blanche.

— De nombreuses modifications ont malheureusement été apportées à la ville. D'immenses monstruosités de verre et de métal, dépourvues du moindre charme, ont remplacé plusieurs bâtiments anciens. Mais il reste des douzaines de théâtres, du Ford, où Lincoln a été assassiné, au Kennedy Center.

Elle les conduisit ensuite des élégantes avenues

d'Embassy Row, aux vieux immeubles des bas quartiers, en passant par les musées, les galeries d'art et l'agitation de Capitol Hill, le quartier le plus dense de la ville.

— Mais je vis à Georgetown, un monde à l'écart du reste de Washington. La plupart des maisons sont collées les unes aux autres, parfois jumelées, et ne comptent qu'un ou deux étages, au milieu de petits jardins entourés de murets de brique, plantés d'azalées et de parterres fleuris. Certaines rues sont encore pavées et conservent tout le charme des siècles passés.

— C'est une ville qui semble si excitante, commenta Geneviève. Vous devez trouver notre existence ici bien terne. Est-ce que l'agitation de la ville, son activité, vous manquent ?

Elle considéra un instant son verre de vin et secoua la tête.

— Non, déclara-t-elle, un peu surprise. C'est curieux, je suppose.

Elle croisa le regard sombre en face d'elle.

— J'ai passé ma vie là-bas, et j'étais très heureuse, commença-t-elle en détournant les yeux, mais Washington ne me manque pas du tout. J'ai éprouvé une attirance très étrange la première fois que je suis entrée au château, un sentiment de déjà-vu. Je me sens très bien ici.

Surprenant le regard intense et ténébreux que Christophe faisait peser sur elle, elle réprima un frisson de panique.

— C'est un soulagement, bien sûr, de ne pas avoir à lutter quotidiennement pour une place de parking, ajouta-t-elle avec un sourire. A Washington, les places de stationnement sont plus précieuses que l'or, et, derrière son volant, le plus doux des citoyens est capable de commettre un meurtre pour en obtenir une.

— Avez-vous eu recours à de telles méthodes, *ma chère* ? lui demanda Christophe en levant son verre sans la quitter des yeux.

— Mes crimes me font frémir, répondit-elle, soulagée de voir la conversation prendre une tournure légère. Je n'ose pas confesser jusqu'où je suis allée pour garer ma voiture. Je peux être terriblement agressive.

— J'ai du mal à croire que l'agressivité soit au rang des qualités d'une aussi jolie fleur, déclara Yves en l'enveloppant d'un sourire charmeur.

— Tu serais surpris, *mon ami*, rétorqua Christophe sur un hochement de tête. La jolie fleur possède de nombreuses qualités surprenantes.

Elle lui décocha un regard courroucé, tandis que la comtesse changeait subtilement de sujet.

Le repas terminé, ils passèrent dans le salon. La vaste pièce, éclairée d'une lumière douce, baignait dans une atmosphère étonnamment intime. Yves, assis à côté d'elle, lui déployait tout son charme français. Serenity avait remarqué, avec un sentiment désagréable — qu'elle avait bien été obligée d'identifier comme de la pure jalousie —, que Christophe s'employait de son côté à distraire Geneviève. Ils avaient d'abord parlé de ses parents, qui visitaient les îles grecques, de connaissances communes et de vieux amis. Puis, après avoir attentivement écouté la jeune femme lui raconter une anecdote, il s'était mis à rire, à plaisanter, en déployant la plus grande gentillesse à son égard et une douceur qu'elle ne lui connaissait pas. Leur relation était de toute évidence si particulière, et si intime, que Serenity en éprouva une sorte de désespoir.

Il traitait Geneviève comme si elle était faite de porcelaine, fragile, précieuse et délicate, tandis qu'elle-même n'avait droit à aucun ménagement, comme si elle était aussi dure qu'un roc, et aussi dépourvue d'intérêt.

Serenity n'arrivait même pas à la détester. Elle se serait pourtant sentie infiniment mieux, mais ses bonnes dispositions, son caractère naturellement aimable, reprenaient le dessus, et plus la soirée s'écoulait, plus elle s'apercevait qu'elle appréciait les Dejot.

Poussée par les prières de la comtesse, Geneviève finit par accepter de s'asseoir au piano pour jouer quelques morceaux.

Entendant la musique s'élever, aussi douce et fragile que son interprète, Serenity songea soudain que Geneviève était parfaite pour Christophe. Ils avaient tant de choses en commun, et surtout elle lui inspirait une tendresse qui l'empêcherait toujours de la blesser...

Elle posa les yeux sur lui. Parfaitement détendu, il contemplait d'un regard fasciné la jeune femme au piano. Une palette d'émotions la traversa — l'envie, le désespoir, le désir, le ressentiment — jusqu'au moment où elle comprit, accablée, qu'elle ne pourrait jamais le voir tranquillement courtiser une autre femme.

— Une artiste, commença Yves tandis que les dernières notes flottaient dans la pièce, a toujours besoin d'inspiration, *n'est-ce pas ?*

— Oui, d'un genre ou d'un autre, reconnut-elle en lui souriant.

— Le parc du château est une source d'inspiration inépuisable au clair de lune, avança-t-il en lui rendant son sourire.

— Je suis d'humeur à me laisser inspirer, répondit-elle, subitement décidée. Peut-être puis-je vous demander de m'accompagner ?

— *Mademoiselle*, se hâta-t-il de répondre, j'en serais honoré.

Le laissant informer l'assemblée de leur intention, elle prit le bras qu'il lui offrait sans voir le regard noir que lui adressait Christophe.

Sous les rayons argentés, le parc était en effet d'une beauté saisissante. La vivacité des couleurs était transformée et les parfums des fleurs, exaltés par la tiédeur nocturne, se mêlaient dans un arôme enivrant. Cette douce nuit d'été lui semblait si propice aux amoureux qu'elle soupira, ses pensées attachées à l'homme resté dans le salon.

— Vous soupirez de plaisir, *mademoiselle* ? lui demanda Yves, alors qu'ils flânaient sur un chemin sinueux.

— *Bien sûr,* répondit-elle d'un ton léger, chassant son humeur sombre pour accorder un de ses plus beaux sourires à son cavalier. Je succombe à tant d'écrasante beauté…

— Ah, *mademoiselle.*

Il porta sa main à ses lèvres pour y déposer un fervent baiser.

— La beauté réunie de toutes ces fleurs pâlit devant la vôtre. Quelle rose pourrait soutenir la comparaison avec le velouté de vos lèvres, quel gardénia saurait être plus enivrant ?

— Comment font les Français pour faire l'amour avec des mots ?

— Nous apprenons au berceau, *mademoiselle,* répondit-il avec une surprenante sobriété.

— Comme il est difficile de résister à pareil décor ! lâcha-t-elle dans un nouveau soupir. Un clair de lune dans le parc d'un château breton, une brise saturée de parfums, un homme charmant, la poésie aux lèvres…

— *Hélas !* s'exclama-t-il en soupirant à son tour. Je crains que vous n'en ayez la force.

Elle opina, affichant un chagrin de comédie.

— Je suis, pour mon malheur, extrêmement forte, et vous, ajouta-t-elle dans un sourire espiègle, êtes un charmant tombeur breton.

Il éclata de rire.

— Ah, vous me connaissez déjà si bien. Si je n'avais pas compris, au premier regard, que nous étions destinés à être amis et non amants, je poursuivrais ma cour avec une grande assiduité. Mais nous, Bretons, croyons dur comme fer au destin.

— Et il est si difficile d'être à la fois amants et amis !

— *Mais oui.*

— Alors nous serons amis, déclara-t-elle en lui tendant la main. Dorénavant, je vous appellerai Yves et vous m'appellerez Serenity.

Il prit sa main et la garda un instant dans la sienne.

— *C'est extraordinaire*, s'exclama-t-il. Je n'aurais jamais cru pouvoir me contenter d'être l'ami d'une femme telle que vous ! Car votre insaisissable beauté, *ma chère*, est de nature à envoûter un homme.

Il haussa les épaules.

— Mais c'est la vie, conclut-il dans un soupir fataliste.

Elle riait encore en revenant au château.

Le lendemain matin, Serenity accompagnait sa grand-mère et Christophe à la messe, célébrée dans le petit village qu'elle avait vu sur la colline. Une pluie fine et insistante s'était mise à tomber avant l'aube. Son murmure contre les vitres de sa fenêtre l'avait réveillée avant qu'elle ne replonge dans le sommeil, bercée par son rythme régulier.

La pluie tombait encore tandis qu'ils se rendaient

au village. Mouillant les feuilles, elle faisait ployer les fleurs devant les chaumières qu'ils croisaient, et leurs corolles courbées donnaient à leurs massifs des allures de fidèles inclinés pour la prière. Serenity avait remarqué, avec une certaine perplexité, le mutisme de Christophe depuis la veille. Les Dejot étaient partis peu après qu'elle et Yves furent revenus dans le salon. Et, si les adieux de Christophe à ses invités avaient été courtois, il avait évité de s'adresser directement à elle. Leur unique échange avait consisté en un bref — et d'après elle — sévère regard, vite détourné.

A présent, il parlait presque exclusivement à la comtesse, se cantonnant, pour ce qui la concernait, à des commentaires ou des réponses polis, empreints d'une hostilité à peine dissimulée, mais qu'elle avait décidé d'ignorer.

La chapelle était au cœur du village. C'était une minuscule construction blanche, dont le jardin parfaitement entretenu jurait de façon presque amusante avec l'état du bâtiment, au bord de la décrépitude. La toiture avait connu plus d'une réparation, et l'unique battant de la porte de chêne était patiné par les intempéries, l'âge et l'usure du temps.

— Christophe a proposé la construction d'une autre chapelle, lui apprit la comtesse, mais les villageois n'en veulent pas. Leurs parents et grands-parents ont prié ici pendant des siècles, et c'est ici qu'ils veulent continuer à le faire, quitte à ce que l'église s'écroule sur eux.

— Elle est charmante, fit-elle, émue.

Car il se dégageait, de la vétusté du bâtiment, une sorte d'immuable dignité, la fierté d'avoir accueilli tant de baptêmes, mariages et enterrement au cours des ans.

La porte, poussée par Christophe pour les laisser entrer, s'ouvrit sur un grincement désolé.

L'intérieur était sombre, tranquille, et la haute charpente de bois apportait un sentiment d'espace à ses dimensions autrement réduites. La comtesse avança jusqu'au premier rang et s'installa aux places qui, lui expliqua-t-elle, étaient réservées aux habitants du château de Kergallen depuis près de trois siècles. Apercevant Yves et Geneviève de l'autre côté de l'étroite allée, Serenity leur adressa un chaleureux sourire qui lui fut rendu, accompagné — de la part d'Yves — d'un imperceptible clin d'œil.

— Un peu de tenue, Serenity, lui murmura Christophe à l'oreille en la débarrassant de son imperméable mouillé.

Elle se sentit rougir, comme une enfant surprise à glousser dans la sacristie mais, au moment où elle se tournait pour répliquer, le prêtre — plus vieux que la chapelle elle-même — prit place à l'autel, et la cérémonie commença.

Un sentiment de paix l'envahit bientôt, aussi léger qu'un duvet. La pluie isolait l'assemblée de l'extérieur, et son doux murmure sur la toiture, au lieu de troubler la quiétude, semblait la renforcer. Le ton monocorde du vieux prêtre parlant breton, les réponses marmottées des fidèles, la plainte occasionnelle d'un bébé, un toussotement étouffé, ou encore le ruissèlement de la pluie sur les vitraux sombres, tout contribuait au sentiment apaisant d'éternité qui l'entourait. Sur son banc usé par les ans, elle se sentait gagnée par la magie de l'endroit et comprenait le refus des villageois d'abandonner leur lieu de culte ancestral pour une bâtisse solide et fonctionnelle. Parce que ici, suspendues entre le passé et les promesses de l'avenir, se trouvaient la paix et la sérénité qui lui avait valu son prénom.

Le service s'acheva en même temps que la pluie, et un rayon de soleil filtra à travers les vitraux, baignant l'église d'une subtile et nébuleuse lueur. Lorsqu'ils sortirent, l'air vif pétillait d'odeurs nouvelles. Quelques gouttes d'eau restaient accrochées aux feuillages fraîchement lavés, et elles brillaient, lumineuses, contre le vert luisant des plantes.

Yves approcha et la salua d'une courte révérence accompagnée d'un baisemain.

— Vous nous apportez le soleil, Serenity.

— *Mais oui,* s'amusa-t-elle en lui rendant son regard espiègle. J'ai exigé que chaque jour de mon séjour en Bretagne soit clair et ensoleillé.

Elle reprit sa main et sourit à Geneviève qui, dans sa robe jaune et avec son petit chapeau, ressemblait à une délicate primevère. Elles se saluèrent, et Yves se pencha vers elle, un air de conspiration sur le visage.

— Peut-être voulez-vous profiter du soleil, *mon*

*amie,* et faire une balade en voiture avec moi ? La campagne est exquise après la pluie.

— J'ai bien peur que Serenity ne soit occupée aujourd'hui, répondit Christophe à sa place.

Elle lui lança un regard furieux.

— Votre deuxième leçon, ajouta-t-il à son intention, sans tenir compte de son avertissement silencieux.

— Une leçon ? répéta Yves, un sourire ironique aux lèvres. Et peut-on savoir ce que tu enseignes à ton adorable cousine, Christophe ?

— L'équitation, répliqua-t-il sur le même mode. Pour l'instant.

— Oh ! vous ne pourriez avoir de meilleur professeur, s'exclama Geneviève en posant ses doigts délicats sur le bras de Christophe. Il m'a prise en main quand mon père et Yves, découragés, avaient renoncé à faire de moi une cavalière. Tu es tellement patient, acheva-t-elle en levant son regard doux vers lui.

Serenity étouffa un rire incrédule. La patience était bien la dernière qualité qu'elle aurait attribuée à Christophe. En revanche, l'arrogance, l'exigence, la supériorité, la suffisance, lui convenaient à merveille. Et ce n'était que le début. Il était également cynique et tyrannique.

Soudain, son regard glissa sur une petite fille, assise sur un coin de pelouse en compagnie d'un turbulent chiot noir. Alternant des coups de langue copieux sur le visage de l'enfant et une course frénétique autour d'elle, l'animal provoquait son rire, qui s'élevait, cristallin, dans la lumière matinale. Ce spectacle était si charmant qu'il lui fallut quelques secondes pour percevoir le danger lorsque le chiot, subitement, s'élança vers la route.

Devant cette défection inattendue, l'enfant se mit sur pied et trotta à la suite de l'animal. Amusée par le ton de sévère reproche sur lequel la petite tentait de rappeler son chien, Serenity regarda, d'abord sans réaction, la voiture qui débouchait. Puis, s'apercevant que la fillette, tout à ses remontrances, poursuivait aveuglément sa course, elle sentit le froid de la peur s'abattre sur elle.

Elle s'élança sans réfléchir, criant à l'enfant de s'arrêter, mais celle-ci, concentrée sur son chien, traversait la pelouse sans voir un seul instant la voiture qui approchait.

Serenity entendit le crissement des pneus au moment où ses bras se refermaient sur l'enfant, et sentit le pare-chocs la heurter, tandis qu'elle se jetait avec son précieux fardeau hors de sa trajectoire. Leur atterrissage fut suivi d'une longue minute de silence absolu, puis le chaos se déclencha. Aux glapissements indignés du chiot sur lequel elle était tombée répondaient les pleurs assourdissants de la fillette qui, maintenant, appelait sa mère.

Des cris excités s'ajoutèrent bientôt aux aboie-ments et aux jérémiades, augmentant la confusion de Serenity et son étourdissement. Elle n'avait pas la force de libérer le chiot, et laissa la petite se débattre et lui échapper pour se jeter dans les bras de sa mère, pâle et en larmes.

Brusquement, des mains puissantes la soulevèrent de terre et, la maintenant solidement par les épaules, l'obligèrent à croiser le regard noir et orageux qui cherchait le sien.

*Christophe.*

— Etes-vous blessée ?

Elle fit non de la tête.

— *Bon sang !* s'exclama-t-il, tendu de colère. Mais vous êtes folle !

Il la secoua, ce qui eut le don d'accroître singulièrement son vertige.

— Vous auriez pu vous faire tuer ! C'est un miracle que vous ne soyez pas touchée.

— Ils jouaient si gentiment, dit-elle d'une voix absente. Et puis, le chiot s'est enfui à toute vitesse vers la route. Oh ! est-ce que je l'ai blessé ? Je suis tombée sur lui. Le pauvre, je doute qu'il ait apprécié.

— Serenity !

La voix furieuse de Christophe et sa vigoureuse secousse la ramenèrent à la réalité.

— *Mon Dieu !* Je commence à croire que vous êtes vraiment folle.

— Je suis désolée, murmura-t-elle, vidée et étourdie. C'est idiot de penser au chien d'abord et à l'enfant ensuite. Elle va bien ?

Il lâcha un soupir et une copieuse bordée de jurons.

— *Oui,* elle est avec sa mère. Vous vous êtes élancée comme un guépard ; heureusement, parce que, autrement aucune de vous ne serait en train de babiller à l'heure qu'il est.

— C'est l'adrénaline, murmura-t-elle en vacillant. L'effet s'est dissipé, maintenant.

Elle sentit la poigne de Christophe se raffermir sur ses épaules, tandis qu'il scrutait son regard.

— Serenity ? lui demanda-t-il en fronçant les sourcils. Avez-vous l'intention de vous évanouir ?

— Certainement pas, répliqua-t-elle sans parvenir à exprimer la fermeté ni la dignité qu'elle espérait.

L'arrivée de Geneviève, heureusement, détourna son attention.

— Oh ! Serenity ! s'exclama la jeune femme en lui prenant la main, les yeux humides, avant de l'embrasser sur les deux joues. C'était si courageux !

— Etes-vous blessée ?

La question d'Yves, à la différence de celle de Christophe, ne comportait aucune trace de colère. Seulement de l'inquiétude.

— Non, non, je vais bien, le rassura-t-elle en s'appuyant inconsciemment sur Christophe.

Elle voulait seulement s'asseoir, et attendre que le monde cesse de tourner.

Mais la mère de l'enfant, dans un breton rapide et plein de larmes, s'adressait maintenant à elle. Ses paroles vibraient d'émotion, et son accent était si prononcé que Serenity avait le plus grand mal à la comprendre. La pauvre femme s'essuyait continuellement les yeux, et son mouchoir n'était plus qu'une boule humide et chiffonnée entre ses mains.

Luttant contre son épuisement, Serenity fit de son mieux pour lui donner les réponses appropriées, et se sentit encore plus embarrassée lorsque la maman lui prit les mains pour les embrasser avec une fervente gratitude. Sur un mot bref de Christophe, elle la relâcha heureusement et s'éloigna avec son enfant pour disparaître dans la foule.

— Venez, lui dit-il en glissant un bras autour de sa taille pour l'entraîner vers la chapelle.

Les gens, constata-t-elle, s'écartaient devant eux comme la mer Rouge devant Moïse.

— Je crois qu'on devrait vous attacher à une laisse, lui dit-il. Vous, l'enfant, et ce satané chien.

— C'est gentil de nous mettre ensemble, grommela-t-elle avant d'apercevoir sa grand-mère, assise à l'écart, sur un petit banc de pierre.

Frappée par sa pâleur et son air tout à coup terriblement âgé, elle s'écarta vivement de Christophe, et se précipita vers elle.

— J'ai cru que vous alliez vous faire tuer, lâcha la comtesse d'une voix étouffée.

Serenity s'agenouilla aussitôt devant elle.

— Je suis indestructible, *grand-mère*, affirmat-elle, toute son assurance recouvrée. Je tiens cette qualité des deux côtés de ma famille.

La main fine et osseuse se posa sur la sienne et la serra fermement.

— Vous êtes effrontée, et plus têtue qu'une mule. Mais je vous aime beaucoup.

— Je vous aime aussi, répondit-elle simplement.

# Chapitre 7

Serenity, refusant aussi vigoureusement la prescription d'une sieste que la visite du médecin, insista pour prendre sa leçon d'équitation après le déjeuner.

— Je n'ai pas besoin de médecin, *grand-mère*, et je n'ai pas besoin de me reposer. Je me sens parfaitement bien.

Elle balaya l'incident de la matinée d'un revers de la main.

— Quelques bleus et des bosses, c'est tout. Comme je vous l'ai dit, je suis indestructible.

— Vous êtes surtout têtue, corrigea la comtesse.

Avec un haussement d'épaules, Serenity sourit.

— C'était tout de même éprouvant, intervint Christophe en posant sur elle son regard critique. Une activité moins fatigante serait plus indiquée.

— Pour l'amour du ciel, s'exclama-t-elle, vous n'allez pas vous y mettre, vous aussi !

Elle repoussa son café d'une main agacée.

— Je ne suis pas une petite nature de l'époque victorienne sujette aux vapeurs et qui a besoin de se faire dorloter. Si vous ne voulez pas me donner ma leçon, je vais appeler Yves et accepter l'invitation que vous avez si gentiment refusée pour moi.

Elle le défia du regard.

— Il n'est pas question que j'aille au lit en plein milieu de la journée comme un bébé.

— Très bien, répliqua sèchement Christophe. Je vais vous la donner, votre leçon, et tant pis si elle n'est pas aussi stimulante que la promenade envisagée par Yves.

Elle le dévisagea, stupéfaite, avant de rougir.

— Ce que vous insinuez est parfaitement ridicule.

— Soyez aux écuries dans une demi-heure.

Il quitta la table et la pièce sans lui laisser le loisir de formuler une quelconque réplique.

Elle se tourna, frémissante d'indignation, vers sa grand-mère.

— Pourquoi est-il aussi odieux avec moi ?

La comtesse haussa légèrement les épaules et la considéra avec sagesse.

— Les hommes sont des créatures complexes, *ma chérie.*

— Un jour, répliqua-t-elle avec une détermination rageuse, un jour, il ne s'en ira pas avant que j'aie eu mon mot à dire.


Serenity rejoignit Christophe à l'heure dite, décidée à tout mettre en œuvre pour perfectionner sa technique, et lui prouver de quoi elle était capable. Elle enfourcha sa jument avec une assurance concentrée et suivit son professeur quand, sans un mot, il poussa son cheval dans la direction opposée à celle qu'ils déjà avaient prise. Quand il s'élança au petit galop, elle l'imita, heureuse de recouvrer l'enivrante sensation de liberté qu'elle avait éprouvée à sa première leçon. Une chose toutefois avait changé, l'attitude de Christophe. Aucun sourire ne venait subitement éclairer son visage, pas d'éclat de rire ni de taquinerie pour la surprendre.

Tant mieux, se dit-elle, elle préférait s'en passer et suivre les instructions, même sommaires, qu'il lui délivrait.

Alors, elle se contenta du plaisir de la chevauchée et des rares coups d'œil qu'elle donnait en direction de son profil sombre et acéré.

Hélas, songea-t-elle dans un soupir en regardant droit devant elle après quelques minutes de cet inutile manège, cet homme allait la hanter jusqu'à la fin de ses jours. Et, quand elle aurait passé ses plus belles années à comparer tous les autres au seul qu'elle n'aurait pu avoir, elle finirait vieille fille. Si seulement elle avait pu ne jamais le rencontrer…

— *Pardon ?*

Elle sursauta. Avait-elle parlé à voix haute ?

— Rien, je n'ai rien dit, bredouilla-t-elle avant de prendre une profonde inspiration. Oh ! reprit-elle, étonnée, j'ai l'impression que ça sent la mer.

Comme il ralentissait sa monture, elle l'imita, intriguée par le faible grondement qui troublait le silence.

— Est-ce l'orage ? demanda-t-elle en levant les yeux.

Mais le ciel était d'un bleu limpide et le grondement continuait.

— C'est bien la mer ! s'exclama-t-elle, tout à coup radieuse. Est-elle loin ? Est-ce que je vais la voir ?

Il se contenta d'immobiliser son cheval et de mettre pied à terre.

— Christophe, pour l'amour du ciel !

Il attachait son cheval à un arbre, dans un mutisme exaspérant.

— Christophe ! répéta-t-elle en dégringolant de sa selle avec plus de rapidité que d'élégance.

Il la rattrapa, juste avant qu'elle ne tombe par terre, et attacha sa jument avant de l'entraîner sur le chemin.

— Choisissez la langue que vous voulez, poursuivit-elle en s'efforçant de mater son impatience grandissante, mais répondez-moi avant que je devienne folle !

Il s'arrêta, fit volte-face et l'attira contre lui pour lui planter un bref et déconcertant baiser sur les lèvres.

— Vous parlez trop, déclara-t-il avant de poursuivre sa route.

— Vraiment, Christophe, vous…

Mais elle se tut, muselée par le regard qu'il lui lançait.

Visiblement satisfait de son silence, il l'entraîna à sa suite.

Le grondement sourd, plus proche et plus pressant

à mesure qu'ils avançaient, empêcha Serenity de ruminer sa colère. Et, lorsqu'ils s'arrêtèrent, le spectacle qui s'étendait à ses pieds lui coupa le souffle.

La mer s'étirait aussi loin que portait le regard, et les rayons du soleil miroitaient sur le vert profond de sa surface. En contrebas, les vagues venaient caresser les rochers, laissant une écume semblable à de la dentelle sur une robe de velours, puis refluaient avant de revenir à la charge, languides comme les soupirs d'une amante inlassable.

— C'est merveilleux, lâcha-t-elle dans un souffle, goûtant l'air vif des embruns et la fraîcheur de la brise qui jouait dans ses cheveux. Vous devez avoir l'habitude ; mais je ne m'y ferai jamais.

— J'aime toujours voir la mer, répondit-il, les yeux posés sur l'horizon, là où le bleu du ciel se fondait dans le vert de l'océan. Elle est d'humeur si changeante, c'est peut-être pour cela que les marins la comparent à une femme. Aujourd'hui, elle est calme et douce, mais lorsqu'elle s'emporte sa colère est sublime.

Il lui prit la main, d'un geste simple et intime auquel elle ne s'attendait pas, et son cœur en éprouva mille battements désordonnés.

— Quand j'étais petit, poursuivit-il, je voulais devenir marin, j'imaginais vivre sur les flots, naviguer selon son humeur.

Son pouce caressait à présent le creux de sa paume, et elle dut s'y reprendre à deux fois avant de pouvoir parler.

— Pourquoi n'êtes-vous pas parti ?

Il haussa les épaules et sembla oublier sa présence.

— J'ai découvert que la terre avait sa propre magie, répondit-il enfin, la vive couleur de l'herbe, la richesse des sols, les grappes pourpres, les pâturages. Une longue chevauchée est aussi excitante qu'une traversée en mer. La terre est mon devoir, mon plaisir et mon destin.

Il baissa les yeux vers elle, et quelque chose passa entre eux, un frémissement, qui se développa jusqu'à ce qu'elle se sente submergée par son intensité. Puis elle fut plaquée contre lui et, tandis que le vent tournoyait autour d'eux comme pour mieux les emprisonner de ses invisibles rubans, qu'une vague déferlait à leurs pieds dans un vacarme assourdissant, elle s'accrocha à lui et se trouva, tout à coup, le corps bandé contre le sien, à chercher la bouche qui réclamait l'absolue capitulation de la sienne.

Si la mer était calme, Christophe n'était pas à son image. Et Serenity, emportée par la tempête de son propre désir, plongeait dans leur baiser, goûtant l'emprise de ses lèvres possessives, cédant à l'exigence de ses mains qui la serraient comme si elle lui avait appartenu. Le corps parcouru de frissons, elle était impatiente de lui donner, de le voir prendre, ce qu'elle avait à lui offrir.

Aussi, quand il s'écarta, elle retint son visage entre ses mains et, refusant d'être libérée, tendit les lèvres à sa rencontre. Surprise par la force de sa nouvelle étreinte, elle s'agrippa à son dos. Sa bouche ravageait maintenant la sienne, sa main glissait sous la soie de son chemisier. Et, tandis que ses doigts brûlants s'emparaient du sein qui réclamait cette conquête, que sa langue la dévorait avec une faim accrue, elle répéta encore et encore son prénom.

Il la serra de plus belle. La force du choc lui coupa le souffle, mais quelle importance ? Les seins plaqués contre son torse puissant, elle sentait leurs cœurs battre l'un contre l'autre, à l'unisson. Elle avait franchi le pas qui la séparait du précipice, et comprenait qu'elle ne retrouverait jamais plus la terre ferme qui, jusque-là, l'avait portée.

Il la relâcha si brusquement qu'elle serait tombée s'il ne l'avait pas retenue par les épaules.

— Il faut rentrer, déclara-t-il comme si rien ne s'était produit entre eux. Il se fait tard.

Elle écarta les boucles tombées sur son visage et leva sur lui un regard perdu.

— Christophe, murmura-t-elle, désorientée.

Il la contempla de l'air revêche et insondable qu'elle connaissait.

— Il se fait tard, Serenity, répéta-t-il.

La pointe de colère qui vibrait dans sa voix ne fit qu'accroître son désarroi. Sentant brusquement le froid qui l'entourait, elle serra les bras autour d'elle.

— Christophe, pourquoi êtes-vous en colère contre moi ? Je n'ai rien fait de mal.

— Vraiment ?

Ses yeux, maintenant rétrécis, brillaient de leur mauvaise humeur habituelle, et elle sentit, bien plus forte que la douloureuse rebuffade qu'il lui imposait, la colère l'envahir.

— Oui, vraiment. Que pourrais-je bien vous faire ? Vous êtes si exaspérant de supériorité, si bien perché sur votre trône inaccessible, que je ne vois pas ce qu'une demi-aristocrate comme moi pourrait bien faire pour vous atteindre.

— Vous feriez mieux d'apprendre à tenir votre langue, Serenity, ou bien elle finira par vous causer de sérieux problèmes.

Sa mise en garde, très contrôlée, était parfaitement claire. Mais la prudence à laquelle il l'invitait était malheureusement noyée dans un océan de colère.

— Eh bien, avant que je n'apprenne à tenir ma langue, répliqua-t-elle, permettez-moi de vous dire précisément ce que je pense de votre arrogance et de votre attitude tyrannique envers la vie en général et moi en particulier.

— Une femme telle que vous, *petite cousine,* la coupa-t-il d'un ton beaucoup trop suave à son goût, a constamment besoin qu'on lui rappelle qui est le maître.

Il la prit fermement par le bras.

— J'ai dit que nous rentrons et nous allons rentrer.

— *Vous, monsieur*, répliqua-t-elle en résistant et le fusillant du regard, pouvez aller où bon vous semble.

Elle se dégagea brusquement, mais son accès de rage ne lui permit de ne faire que trois pas. Une poigne solide s'abattit sur ses épaules et l'obligea à se retourner pour affronter une fureur pire que la sienne.

— Vous m'obligez à reconsidérer la sagesse d'épargner les femmes.

Sa bouche s'écrasa aussitôt sur la sienne. Elle ressentit une vive douleur et le goût de la colère, mais rien qui ressemblait au désir. Ses doigts aussi lui mordaient cruellement les épaules. Alors, au lieu de se débattre, ou de céder, elle resta inerte entre ses bras, ne s'accrochant qu'au seul courage qui, peu à peu, l'abandonnait.

Lorsqu'il la libéra, elle le toisa, haïssant les larmes qui lui montaient aux yeux.

— Vous avez l'avantage de la force, Christophe, dit-elle d'une voix heureusement posée, et vous aurez toujours le dessus dans ce type de combat.

Elle regarda ses sourcils remonter, comme si sa réaction le laissait perplexe. Mais, quand il leva la main pour sécher une larme qui roulait sur sa joue, elle s'écarta vivement et s'essuya elle-même les yeux.

— J'ai eu ma dose d'humiliations pour aujourd'hui, et je ne vais pas vous faire le plaisir de fondre en larmes devant vous.

Elle avait recouvré son assurance et, sous son regard silencieux, elle redressa les épaules.

— Comme vous le disiez, il se fait tard.

Tournant les talons, elle se dirigea vers les chevaux.

\*
\* \*

Les jours suivants s'écoulèrent dans la tiédeur de l'été et le doux parfum des fleurs. Serenity consacrait l'essentiel de ses journées à la peinture. Reproduire sur la toile les lignes fières et indomptables du château était un plaisir et un soulagement. Elle avait remarqué, d'abord avec désespoir puis avec une irritation grandissante, le soin que mettait Christophe à l'éviter. Depuis leur chevauchée vers la mer, c'était à peine s'il lui adressait la parole et, quand il le faisait, c'était toujours sur le ton de la stricte politesse. Sa fierté avait heureusement pris le dessus et vite couvert les plaies de ses blessures. La peinture, devenue son refuge contre le désir et la mélancolie, avait fait le reste.

La comtesse ne parlait jamais du Raphaël. Et Serenity, désireuse d'approfondir leurs liens avant d'évoquer la disparition du tableau et l'accusation qui pesait sur son père, était heureuse de laisser le temps simplement s'écouler.

Elle était plongée dans son travail, vêtue d'un vieux jean et d'une blouse tachée de peinture, les cheveux emmêlés à force d'y passer la main, lorsqu'elle vit Geneviève traverser la pelouse à sa rencontre. Sa silhouette gracile était soulignée par une veste d'équitation beige et une culotte de cheval marron, et sa démarche comme sa beauté lui donnaient les allures d'une fée.

— *Bonjour,* Serenity, lui lança-t-elle en réponse au salut de la main qu'elle lui faisait. J'espère que je ne vous dérange pas.

— Pas le moins du monde. Je suis heureuse de vous voir.

Elle était sincère et posa son pinceau en souriant.

— Oh ! mais je vous interromps, s'exclama la jeune femme, l'air désolé.

— Au contraire, vous me donnez une excellente excuse pour m'arrêter.

— Puis-je voir ? Ou préférez-vous ne rien montrer avant que le tableau soit terminé ?

— Regardez, je vous en prie. Et dites-moi ce que vous en pensez.

Geneviève vint se placer à côté d'elle, et elles observèrent la toile ensemble. L'arrière-plan était terminé : le ciel azur, les nuages cotonneux, l'herbe vert vif et les arbres majestueux. Au premier plan, le château lui-même prenait graduellement forme : les murs gris nacré dans le soleil, les hautes fenêtres miroitantes, les tours. Il restait beaucoup à faire, mais même à ce stade Serenity jugeait qu'elle avait réussi à saisir l'atmosphère féerique qu'elle percevait.

— J'ai toujours aimé le château, commença Geneviève sans quitter le tableau des yeux. Je vois que c'est aussi votre cas.

Elle releva son regard timide sur Serenity et poursuivit :

— Vous parvenez à exprimer sa chaleur aussi bien que son arrogance. Je suis heureuse de découvrir que vous le voyez de la même façon que moi.

— J'en suis tombée amoureuse au premier regard. Et plus je reste, plus j'en suis désespérément éprise.

Serenity soupira, consciente de parler autant du château que de son châtelain.

— Vous avez de la chance d'avoir un tel talent. Puis-je vous faire une confidence ?

— Bien sûr, répondit-elle, surprise et intriguée par le brusque embarras de la jeune femme.

— Je vous envie terriblement, lâcha alors Geneviève.

Serenity dévisagea son beau visage, médusée.

— Vous m'enviez ?

— *Oui*, répondit la jeune femme avant de poursuivre d'une voix précipitée. Et je n'envie pas seulement vos dons artistiques, mais aussi votre assurance, votre indépendance, la fierté que vous dégagez.

Serenity, au comble de la stupéfaction, ne pouvait qu'écarquiller les yeux.

— Vous possédez quelque chose qui attire les gens vers vous, continuait Geneviève, une ouverture, un éclat dans vos yeux qui inspirent la confiance. On sent que l'on peut se confier à vous, que vous comprendrez.

— Incroyable, murmura-t-elle, ébahie. Mais Geneviève, reprit-elle d'un ton plus léger, vous êtes si belle, si chaleureuse, comment pouvez-vous envier quelqu'un, et surtout moi ? A vous entendre, j'ai l'impression d'être une véritable Amazone.

— Les hommes vous traitent comme une femme, expliqua Geneviève d'une voix teintée de désespoir.

Ils ne vous admirent pas seulement pour votre physique, mais aussi pour ce que vous êtes.

Elle se détourna, puis revint aussi vivement sur elle en repoussant les cheveux que son mouvement avait fait glisser sur son visage.

— Que feriez-vous si vous aimiez un homme, que vous l'aimiez depuis toujours, de toute votre âme, mais qu'il ne vous considérait que comme une enfant amusante ?

*Dieu du ciel !* songea aussitôt Serenity en même temps qu'une vague de désespoir s'abattait sur son cœur. Geneviève voulait son avis sur Christophe.

Elle repoussa le rire nerveux qui lui montait aux lèvres.

Qu'était-elle censée faire ? Lui donner des conseils sur l'homme dont *elle-même* était amoureuse ? Devait-elle lui dire dans quelle estime le comte tenait sa cousine d'Amérique… et son père ?

Mais Geneviève la regardait, ses beaux yeux de biche remplis d'espoir et de confiance, alors elle soupira.

— Si j'étais amoureuse d'un tel homme, commença-t-elle, résignée, je ferais tout pour lui montrer que je suis une femme et que c'est comme ça que je veux qu'il me regarde.

— Mais comment ? lui demanda Geneviève, désarmée. Je suis si lâche, j'ai tellement peur de perdre son amitié.

— Si vous l'aimez vraiment, vous devez courir le risque, ou bien vous résigner à passer le reste de votre vie à n'être que son amie. La prochaine fois qu'il vous traite comme une enfant, dites à… votre ami, que vous êtes une femme. Et dites-le-lui de telle façon qu'il comprenne parfaitement ce que vous entendez par là. Alors, ce sera à lui de jouer.

Geneviève poussa un profond soupir.

— Je vais y réfléchir, dit-elle avant de redresser les épaules, puis de poser sur elle un regard chaleureux. Merci. Merci de m'avoir écoutée, d'être une amie.

Serenity regarda la silhouette fine et gracieuse s'éloigner, avec le sentiment d'être une martyre. Mais, au lieu du rayonnement intérieur censé accompagner le don de soi, elle n'éprouvait qu'un abattement sinistre.

Ne tirant plus aucun plaisir du soleil, elle commença à rassembler ses affaires. Quitte à se sacrifier, songea-t-elle, autant choisir la veuve et l'orphelin. De toute façon, elle ne pourrait pas se sentir plus déprimée.

Elle monta dans sa chambre, chargée de ses toiles et de ses pinceaux. Découvrant Bridget, qui rangeait sa lingerie fraîchement lavée dans les tiroirs de sa commode, elle parvint, au prix d'un effort surhumain, à lui adresser un sourire.

— *Bonjour, mademoiselle*, lui répondit la jeune fille, la mine éblouissante.

— *Bonjour,* Bridget. Vous semblez d'excellente humeur.

Avisant les rayons du soleil qui entraient triomphalement par la fenêtre ouverte, Serenity soupira.

— Il faut dire que la journée est magnifique, ajouta-t-elle.

— *Oh ! oui, mademoiselle, quelle journée !* s'exclama la jeune fille en désignant le ciel de la nuisette de soie vaporeuse qu'elle avait à la main. Je n'ai jamais vu le soleil briller avec autant de douceur.

Incapable de résister à cette exaltation, Serenity s'assit dans un fauteuil et gratifia d'un plus grand sourire le visage radieux de la jeune femme de chambre.

— A moins que je ne me trompe, ne serait-ce pas l'amour qui vous enchante ?

Une charmante rougeur aux joues, Bridget suspendit son geste pour lui adresser un nouveau sourire éclatant.

— *Oui, mademoiselle*, je suis très amoureuse.

— Et je devine, poursuivit-elle en écartant une pointe d'envie, que vous êtes très aimée en retour.

— *Oh oui, mademoiselle*, renchérit la jeune fille, auréolée de soleil et de bonheur. Jean-Paul et moi nous marions samedi.

— Vous vous mariez ? répéta-t-elle, surprise. Mais quel âge avez-vous, Bridget ?

— Dix-sept ans, *mademoiselle.*

Dix-sept ans, songea Serenity dans un soupir.

— J'ai l'impression d'en avoir quatre-vingt-douze, tout à coup.

— Nous nous marions au village, poursuivit Bridget, encouragée par l'intérêt que lui témoignait Serenity. Puis tous les invités viendront chanter et danser dans les jardins du château. Le comte est très gentil et très généreux. Il a dit que nous aurions du champagne.

Elle regarda l'admiration et le respect se mêler à la joie qui illuminait le jeune visage.

— Gentil, murmura-t-elle en ruminant l'adjectif.

La gentillesse ne faisait pas partie des qualités qu'elle aurait attribuées à Christophe de Kergallen. D'un autre côté, elle se souvint, avec un redoublement d'accablement, de la douceur dont il avait fait preuve à l'égard de Geneviève. La gentillesse n'était simplement pas, elle devait se rendre à l'évidence, une qualité qu'elle éveillait en lui.

— *Mademoiselle* a tant de jolies choses.

Serenity leva les yeux. Bridget, d'un air rêveur, caressait une nuisette de soie blanche.

— Elle vous plaît ? lui demanda-t-elle en se levant pour effleurer du doigt l'ourlet soyeux avant de le laisser doucement retomber. Je vous la donne, décida-t-elle subitement.

La jeune fille la contempla, les yeux ronds d'étonnement.

— *Pardon, mademoiselle* ?

— Je vous la donne, répéta-t-elle en souriant. Comme cadeau de mariage.

— *Oh ! mais non...* Je ne peux pas... C'est beaucoup trop beau, murmura-t-elle en baissant les yeux pleins d'envie sur le vêtement. *Mademoiselle* ne peut pas s'en séparer.

— Bien sûr que si, répliqua-t-elle, amusée. C'est

un cadeau, et je serai heureuse de savoir que vous en profitez.

Voyant Bridget serrer amoureusement le déshabillé contre son cœur, elle soupira d'envie et de désespoir.

— Elle est parfaite pour une mariée, et vous serez superbe pour votre Jean-Paul.

— Oh ! *mademoiselle* ! s'exclama Bridget dans un souffle, les yeux humides de gratitude. Je le chérirai toute ma vie.

Cette déclaration, suivie d'un flot de remerciements joyeux en breton, lui remonta le moral. Et ce fut en souriant qu'elle regarda la future mariée se tourner devant le miroir et, la nuisette serrée contre son tablier, rêver à sa nuit de noce.

Le jour du mariage, dans un ciel céruléen parsemé de rares nuages blancs, le soleil brillait encore.

Au cours des quelques jours précédents, l'abattement de Serenity s'était mué en une hostilité glaciale. Le comportement distant de Christophe avait bien soufflé sur les braises de sa colère, mais elle les avait résolument étouffées, pour adopter la même attitude hautaine et impassible. En conséquence, leurs conversations s'étaient bornées à quelques phrases aussi polies que guindées.

Elle se tenait, entre lui et la comtesse, sur la petite pelouse devant la chapelle du village, dans l'attente de la procession nuptiale. Le tailleur de soie brute qu'elle avait choisi pour son allure justement

austère et distinguée avait été rejeté par la main
royale et sans appel de sa grand-mère. A la place,
elle avait fait monter dans sa chambre un costume
traditionnel ayant appartenu à sa mère, fleurant bon
la lavande et aussi impeccable qu'au premier jour.
Si bien qu'au lieu d'avoir l'air chic et crâne qu'elle
espérait, elle ressemblait à une jeune fille prête pour
son premier bal.

La jupe froncée, aux éclatantes rayures verticales
rouges et blanches, s'arrêtait juste au-dessus de ses
mollets nus. Elle la portait avec un court tablier
blanc et une chemise paysanne au grand décolleté,
rentrée dans une fine ceinture, et dont les manches
courtes et bouffantes exposaient ses bras aux rayons
du soleil. Un gilet noir, bien ajusté sur le galbe de
ses seins, et un chapeau de paille à rubans sur ses
boucles blondes, complétaient l'ensemble.

Lorsqu'elle avait descendu l'escalier, Christophe
n'avait fait aucun commentaire. Il s'était contenté de
s'incliner légèrement. Elle poursuivait maintenant la
guerre en s'adressant uniquement à sa grand-mère.

— Ils arriveront de la maison de la mariée, lui
dit la comtesse.

Malgré le désagrément que lui inspirait l'homme
taciturne à son côté, Serenity afficha un air d'attention polie.

— Toute sa famille va l'accompagner pour sa
dernière sortie de jeune fille. Puis elle va rencontrer
son fiancé et entrer dans la chapelle pour devenir
une femme.

— Elle est si jeune, murmura Serenity dans un soupir, à peine plus âgée qu'une enfant.

— Mais elle est assez grande pour être une femme, mon antique petite-fille ! répliqua la comtesse dans un rire léger en lui tapotant la main. J'étais à peine plus âgée lorsque j'ai épousé votre grand-père. L'âge n'a pas grand-chose à voir avec l'amour. Qu'en penses-tu, Christophe ?

Elle sentit, plus qu'elle ne vit, son haussement d'épaules.

— On le dirait bien, *grand-mère*, répondit-il. Avant ses vingt ans, notre Bridget aura un enfant accroché à son tablier et un autre niché dessous.

— *Hélas !* lâcha la comtesse dans un soupir lourd de mélancolie. Il semble qu'aucun de mes petits-enfants ne juge bon de me fournir une adorable descendance.

Elle se tourna vers Serenity, qui la contemplait avec stupeur, et offrit à sa perplexité un sourire triste et ingénu.

— On devient moins patient en vieillissant, acheva-t-elle en guise d'explication.

— Mais on devient plus rusé, répliqua Christophe.

Sa pointe d'humour frondeuse obligea Serenity à lever les yeux. L'ombre d'un sourire flottait sur ses traits, et son sourcil très légèrement dressé l'invitait à la complicité. Mais elle resta de marbre. Elle n'avait aucune intention de céder à son charme.

— On devient plus sage, Christophe, le reprit la comtesse, à peine déstabilisée. C'est la formule exacte. *Oh ! les voilà !* s'exclama-t-elle en coupant court aux éventuels commentaires.

Serenity vit d'abord un nuage de pétales de fleurs des champs, puis la ronde des jeunes enfants qui précédaient le cortège. Puisant dans leurs paniers d'osier, c'étaient eux qui, en tourbillonnant, lançaient dans les airs les flocons colorés. La mariée venait ensuite, légère sur ce tapis d'amour, entourée de sa famille, et vêtue d'un magnifique costume traditionnel et ancien. Serenity n'avait jamais vu de mariée aussi radieuse ni de robe aussi parfaite.

La jupe longue, blanche et plissée, flottait quelques centimètres au-dessus de la route couverte de pétales. Le haut du corsage, serré, était tout en dentelle et le bustier lui-même, parfaitement ajusté, était délicatement brodé. La mariée ne portait pas de voile, mais un chapeau rond, blanc, surmonté d'un ouvrage de dentelle rigide qui donnait à son visage rayonnant une beauté intemporelle.

Lorsque le fiancé avança à sa rencontre, Serenity s'aperçut, avec un soulagement presque maternel, que Jean-Paul avait l'air aussi sympathique et presque aussi innocent que sa fiancée. Il portait, lui aussi, un costume traditionnel : un pantalon blanc court, rentré dans des bottes souples, un gilet croisé sur une chemise brodée blanche, et son chapeau breton, avec ses rubans de velours, accentuait sa jeunesse. Il ne devait pas être beaucoup plus âgé que Bridget.

L'aura d'amour qui flottait autour d'eux, pure et lumineuse comme le ciel matinal, lui causa un brusque et douloureux coup au cœur. Elle pinça les lèvres et serra les mains pour réprimer leur tremblement. Si seulement Christophe pouvait une fois, juste une fois, la regarder de cette façon, alors elle pourrait continuer à vivre.

Une main sur son bras la fit sursauter. Elle leva les yeux pour croiser son regard légèrement moqueur et tout à fait détaché. Relevant fièrement le menton, elle se laissa conduire à l'intérieur de la chapelle.

Le parc, inondé de soleil, de couleurs et de parfums, était l'endroit idéal pour célébrer un nouveau mariage, et le château de Kergallen avait déployé toutes ses richesses pour accueillir la noce. Sur la terrasse, de grandes tables couvertes de nappes immaculées regorgeaient de nourriture et de boissons, la vaisselle d'argent et de cristal brillait de tous ses feux. Et les villageois, nota Serenity, semblaient accepter ce déploiement de faste et de générosité comme leur dû. Ils appartenaient au château comme le château semblait leur appartenir.

Lorsque la musique, mêlant l'accord mélodieux des violons et le souffle nasillard des cornemuses, s'éleva au-dessus du brouhaha des rires et des voix, elle regarda, depuis la terrasse, les jeunes mariés s'élancer dans leur première danse d'époux.

C'était une danse folklorique, pleine de charme et de vivacité, dont les enchaînements, à la plus grande joie de l'assemblée, donnaient à Bridget l'occasion de taquiner son époux autant des yeux que de la tête. Le rythme accéléra et, tandis que les invités se joignaient aux mariés, Serenity se vit entraînée sur la piste, par un Yves aussi charmant que déterminé.

— Mais je ne connais pas les pas ! protesta-t-elle en riant.

— Je vais vous apprendre, répliqua-t-il en lui prenant les mains. Christophe n'est pas le seul pédagogue de la région.

Il accueillit sa grimace d'un hochement de tête.

— Ah ah ! C'est bien ce que je pensais.

Elle le regarda, déroutée par l'ambiguïté de sa remarque, mais il se contenta de lui sourire.

— *Pour commencer*, reprit-il, nous faisons un premier pas sur la droite.

Concentrée sur sa leçon, puis prise par le plaisir des mouvements simples et de la musique entraînante, elle ne tarda pas à sentir la tension des derniers jours s'envoler. Yves enchaînait les danses et, aussi attentif que charmant, lui apportait des coupes de champagne désaltérant. Une fois, apercevant Christophe danser avec Geneviève, gracieuse et menue entre ses bras, elle sentit un nuage de désespoir assombrir son soleil. Mais, peu désireuse de replonger dans son humeur morose, elle détourna vivement les yeux.

— Vous voyez, *ma chère*, lui dit Yves en souriant, alors que la musique s'arrêtait, la danse vous vient naturellement.

— Il semble que mes gènes bretons soient venus à mon secours.

— Vous n'accordez donc aucun crédit à votre professeur ? lui demanda-t-il, faussement peiné.

— *Mais si*, se reprit-elle avec un sourire taquin et une petite révérence. Mon professeur est aussi charmant que merveilleux.

— C'est vrai, se rengorgea-t-il, le regard pétillant. Et mon élève, ajouta-t-il, plus grave, est aussi belle qu'enchanteresse.

— C'est vrai, répliqua-t-elle en le prenant par le bras dans un éclat de rire.

— Ah, Christophe.

Serenity se figea.

— Je me suis octroyé ta place de professeur, poursuivit Yves, le regard posé derrière elle.

— Et je constate que ce changement vous réjouit tous les deux.

Sentant sa froideur, elle se tourna vers lui avec méfiance.

Dans sa chemise blanche, négligemment ouverte sur la ligne puissante de sa gorge, et le gilet noir et sans manches qu'il portait par-dessus, il ressemblait plus que jamais à l'ancêtre flibustier dans la galerie des portraits. Une impression confirmée par son pantalon, tout aussi noir, qui disparaissait dans des bottes de cuir souple de la même teinte. Il avait beau être élégant, ainsi vêtu, c'était surtout son air dur et menaçant qui l'emportait !

— Serenity est une élève délicieuse, *mon ami*,

poursuivait Yves. Mais je suis certain que tu le sais déjà.

Il l'avait prise par les épaules et souriait tranquillement au visage impassible qui les contemplait sans un mot.

— Peut-être veux-tu juger la qualité de mon enseignement par toi-même ?

— *Oui.*

Elle vit Christophe s'incliner et, d'un geste plein d'élégance bien qu'un peu démodé, lui tendre la main.

Serenity hésita, partagée entre la crainte et le désir que lui inspirait ce contact, jusqu'au moment où elle surprit le regard de Christophe. Ses prunelles sombres brillaient d'une lueur provocante. Alors, avec un détachement tout aristocratique, elle posa la main dans la sienne.

Aussitôt entraînée par la musique, elle s'aperçut que les pas lui venaient facilement. L'ancienne danse galante, d'écarts en rapprochements, débutait comme un face-à-face, une sorte d'affrontement figurant la rencontre d'un homme et d'une femme. Leurs regards attachés l'un à l'autre — celui de Christophe hardi et assuré, le sien plein de fierté — ils tournèrent en alternance, leurs paumes l'une contre l'autre. Chaque fois que son bras glissait sur sa taille, qu'elle frémissait au contact de leurs hanches, elle rejetait la tête en arrière pour ne pas rompre le contact de leurs yeux.

Puis la cadence accéléra. Leurs pas devinrent plus vifs, la musique plus entraînante, et le contact des corps plus pressant. Elle gardait un menton insolent, un regard plein de défi, mais elle commençait à se sentir gagnée par la chaleur du bras qui devenait de plus en plus possessif sur sa taille et l'attirait un peu plus à chaque tour. Ce qui avait débuté comme un affrontement bien réglé tournait à la séduction, et elle sentait sa résistance sapée par l'emprise de son cavalier, aussi nette que s'il s'était emparé de ses lèvres. Consciente du danger, elle puisa dans ses dernières ressources pour reculer. Mais, au lieu de lui laisser cette latitude, il l'attira contre lui, et elle ne put, impuissante, que regarder la bouche qui planait dangereusement au-dessus de la sienne. Elle entrouvrit les lèvres, dans une tentative de protestation, mais elle était déjà vaincue. Il se pencha en effet, jusqu'à ce qu'elle sente, le cœur battant, son souffle la caresser.

Au même instant, la musique s'arrêta, et le silence claqua comme un coup de tonnerre. Elle le regarda, les yeux écarquillés, reprendre la promesse de son baiser, un sourire triomphant aux lèvres.

— Votre professeur mérite d'être félicité, *mademoiselle.*

Sur cette déclaration, et une courte révérence, il tourna les talons et la quitta.

Plus Christophe était distant et taciturne, plus la comtesse se montrait enjouée et expansive, comme si l'humeur de son petit-fils la poussait à le provoquer.

— Tu sembles bien soucieux, Christophe.

Ils dînaient dans la salle à manger.

— Est-ce le bétail qui te préoccupe ? Ou bien peut-être une *affaire de cœur ?*

Serenity, les yeux sur son verre de vin, se concentra sur le reflet des couleurs.

— Je profite seulement de cet excellent repas, *grand-mère*, répliqua-t-il sans mordre à l'hameçon. Le bétail ni aucune femme ne me préoccupe en ce moment.

— Ah, lâcha la comtesse. Peut-être confonds-tu les deux ?

Il haussa les épaules.

— Bétail ou femme, tous deux réclament la même poigne, *n'est-ce pas ?*

Elle s'étrangla sur sa bouchée de canard à l'orange.

— Dites-moi, Serenity, reprit la comtesse en se tournant vers elle, avez-vous laissé beaucoup de cœurs brisés en Amérique ?

Cette question l'empêcha de formuler les réflexions meurtrières qui lui venaient à l'esprit.

— Des douzaines, répliqua-t-elle en profitant de l'occasion pour fusiller Christophe du regard. J'ai découvert que certains hommes n'ont même pas l'intelligence d'un bœuf, et que la plupart, à défaut d'en avoir le cerveau, sont dotés des tentacules d'un poulpe.

— Vous n'avez peut-être eu affaire qu'à de mauvais spécimens, suggéra Christophe, glacial.

Ce fut à son tour de hausser les épaules.

— Les hommes sont les hommes, riposta-t-elle dans l'unique but de l'irriter avec ces lieux communs. Tout ce qu'ils cherchent, c'est un corps disposé à se laisser tripoter dans les coins, ou bien une jolie figurine de Dresde pour trôner dans leur salon.

— Et de quelle façon, d'après vous, une femme souhaite qu'on la traite ?

La comtesse s'adossa à son fauteuil, visiblement satisfaite du fruit de ses instigations.

— Comme un être humain, doté d'intelligence, d'émotions, de droits, de besoins.

Elle balaya l'air de la main.

— Pas comme un objet soumis au bon plaisir d'un homme, dont il se sert quand ça lui chante ! Ni comme un enfant qu'on a besoin de cajoler ou distraire.

— Vous semblez avoir une bien piètre opinion des hommes, *ma chère*, insinua-t-il sans s'apercevoir, davantage qu'elle, qu'ils parlaient plus qu'ils ne l'avaient fait depuis des jours.

— Non. Mon mépris se limite à ceux dotés d'idées archaïques et préconçues, contre-attaqua-t-elle. Mon père a toujours traité ma mère comme son égale ; ils partageaient tout.

— Chercheriez-vous votre père dans les hommes que vous rencontrez, Serenity ? lui demanda-t-il brusquement.

Elle écarquilla les yeux.

— Non… En tout cas, je ne crois pas, bredouilla-t-elle en sondant ses réflexions. Je cherche peut-être sa force et sa générosité, mais pas une copie. Je crois que je cherche un homme capable de m'aimer autant que mon père a aimé ma mère, quelqu'un qui m'acceptera avec mes défauts, et qui m'aimera pour ce que je suis, pas pour ce qu'il voudrait que je sois.

— Et lorsque vous trouverez cette perle rare, lui demanda-t-il en appuyant sa question d'un insondable regard, que ferez-vous ?

— Je serai contente, murmura-t-elle en baissant les yeux sur son assiette, troublée.


Le lendemain, Serenity se remit à la peinture. Sa réponse à la question inattendue de Christophe l'avait perturbée toute la soirée, et elle avait très mal dormi. Elle s'était exprimée spontanément et sa franchise, en lui révélant une attente dont elle n'avait jamais pris conscience, lui faisait l'effet d'un aveu. Maintenant, sous les rayons d'un soleil réconfortant, elle s'efforçait, sa palette à la main, de noyer son malaise dans l'amour de la peinture.

Mais elle n'arrivait pas à se concentrer. Christophe ne cessait d'envahir ses pensées, et les traits de son visage se superposaient sans fin aux lignes du château. Elle se frotta les tempes et finit, découragée, par lâcher son pinceau.

Elle rangeait ses affaires, maudissant l'homme qui perturbait son existence aussi bien que son travail, quand le bruit d'un moteur la surprit.

Elle se tourna et, la main en visière pour se

protéger des rayons du soleil, aperçut un véhicule qui remontait l'allée.

Il s'arrêta, à quelques mètres de l'endroit où elle se trouvait, et elle regarda, complètement ébahie, le conducteur grand et blond en descendre et venir à sa rencontre.

— Tony ! s'écria-t-elle en se précipitant vers lui.

Il la prit dans ses bras et déposa un baiser, bref mais sans aucune ambigüité, sur ses lèvres.

— Que fais-tu ici ? lui demanda-t-elle, encore stupéfaite de son apparition.

— Je pourrais prétendre que je passais dans le coin, commença-t-il en lui souriant. Mais je ne pense pas que tu me croirais.

Il la contempla un instant.

— Tu es magnifique, déclara-t-il en se penchant pour l'embrasser de nouveau.

Elle s'esquiva.

— Tony, tu ne m'as pas répondu.

— Le cabinet avait une affaire à régler à Paris, expliqua-t-il. Alors j'ai pris l'avion et, l'affaire réglée, j'ai loué une voiture pour venir jusqu'ici.

— Tu as fait d'une pierre deux coups, constata-t-elle avec une pointe de déception.

Elle aurait bien aimé apprendre qu'il avait tout laissé tomber et franchi l'Atlantique parce qu'il ne supportait pas d'être loin d'elle. Mais ce n'était pas son genre, se rappela-t-elle en regardant son beau visage aux traits réguliers. Tony était bien trop raisonnable pour avoir des impulsions pareilles.

Sa tempérance avait d'ailleurs été une partie du problème.

Il déposa un baiser sur son front.

— Tu m'as manqué.

— Vraiment ?

Il eut l'air légèrement interloqué.

— Eh bien, oui, bien sûr, Serenity.

Il glissa un bras autour de ses épaules et l'entraîna vers le chevalet qu'elle avait abandonné.

— J'espère que tu vas revenir avec moi.

— Je ne suis pas encore prête à rentrer, Tony. J'ai des engagements ici, des choses que je dois éclaircir avant de songer à partir.

— Quelles choses ? lui demanda-t-il, l'air soucieux.

— Je ne peux pas t'expliquer, Tony. Mais j'ai à peine eu le temps de connaître ma grand-mère ; et il y a tant d'années à rattraper...

— Tu n'imagines tout de même pas passer vingt-cinq ans ici et rattraper tout le temps perdu ! s'exclama-t-il, visiblement aussi surpris que contrarié. Tu as des amis à Washington, une maison, une carrière.

Il s'arrêta et la prit par les épaules.

— Tu sais que je veux t'épouser, Serenity. Tu me repousses depuis des mois.

— Je ne t'ai jamais fait de promesse, Tony.

— Je sais.

Il la lâcha et détourna les yeux. Prise de remords, elle s'efforça de lui faire comprendre son point de vue.

— J'ai découvert une part de moi-même, ici.

Ma mère a grandi dans cette maison, sa mère y vit encore.

Elle désigna le château d'un geste ample.

— Regarde, Tony. As-tu jamais vu quelque chose de comparable ?

Il suivit son regard et considéra la bâtisse de pierre d'un regard critique.

— Très impressionnant, déclara-t-il sans le moindre enthousiasme. C'est aussi gigantesque, biscornu, et très certainement bourré de courants d'air. Je préfère une maison de brique sur P Street.

Elle lâcha un soupir désabusé, puis tourna vers son compagnon un sourire plein d'affection.

— Oui, admit-elle, tu as raison, tu n'appartiens pas à cet endroit.

— Parce que c'est ton cas ?

— Je ne sais pas, murmura-t-elle, les yeux posés sur le toit conique, les murs crénelés, la cour pavée. Je ne sais pas.

Il l'observa quelques secondes.

— Le vieux Barkley avait des papiers à te transmettre, reprit-il en changeant adroitement de sujet.

Il faisait allusion à l'avocat qui avait géré les affaires de ses parents et chez lequel il était associé junior.

— Alors, reprit-il, au lieu de te les envoyer par la poste, je suis venu te les remettre en main propre.

— Des papiers ?

— Oui, et très confidentiels, ajouta-t-il avec son sourire familier. Le vieux Barkley n'a pas voulu me donner le moindre indice ; il m'a juste dit de te les transmettre aussi vite que possible.

— Je m'en occuperai plus tard.

Elle avait eu assez de paperasses et de formulaires à remplir depuis la mort de ses parents.

— Viens, je vais te présenter ma grand-mère.

Si Tony n'avait pas été impressionné par le château, il le fut apparemment par la comtesse. Au moment des présentations, Serenity dut retenir son sourire devant l'air ébahi avec lequel il prit la main qu'on lui tendait.

Elle devait reconnaître que sa grand-mère était au summum de sa forme. Après avoir royalement accueilli son visiteur, elle l'avait conduit dans le salon et avait commandé le thé. A présent, elle s'appliquait, avec une grâce admirable, à obtenir tous les renseignements possibles le concernant.

Serenity, installée dans un fauteuil, contemplait la manœuvre, en s'efforçant de conserver son sérieux.

Tony n'avait aucune chance, se dit-elle en prenant l'élégante théière d'argent pour faire le service. Elle tendit sa fine tasse de porcelaine de Chine à sa grand-mère, et croisa son regard. La lueur d'espièglerie, inattendue dans les yeux bleus, faillit lui arracher un éclat de rire, aussi se dépêcha-t-elle de servir une autre tasse.

Quelle conspiratrice ! songea-t-elle, surprise de n'éprouver aucune irritation devant l'interrogatoire en règle que sa grand-mère faisait subir à son visiteur. Elle voulait savoir si Tony était un prétendant digne de la main de sa petite-fille. Et le pauvre Tony n'y voyait que du feu.

Au terme d'une heure de conversation, la comtesse avait tout appris de son existence : ses origines familiales, son éducation, ses loisirs, sa carrière, ses convictions politiques, beaucoup de détails que Serenity elle-même ignorait. Et l'opération avait été si subtilement menée qu'elle réprima son envie de se lever et d'applaudir.

— Quand dois-tu partir ? demanda-t-elle à Tony, jugeant qu'il était temps de le sauver avant qu'il ne révèle le montant de son compte en banque.

— Demain matin, première heure, répondit-il, détendu et parfaitement ignorant de l'enquête minutieuse dont il venait de faire l'objet. J'aimerais rester plus longtemps, mais…

Il haussa les épaules.

— *Bien sûr,* votre travail avant tout, offrit la comtesse, pleine de compréhension. Mais vous devez dîner avec nous, monsieur Rollins, et rester dormir au château.

— Je ne veux pas abuser de votre hospitalité, *madame*, protesta-t-il sans trop de conviction.

— Abuser ? Sottises ! se récria la comtesse en balayant son objection d'une main souveraine. Vous êtes un ami de Serenity et vous venez de si loin que je serais terriblement offensée par votre refus.

— Vous êtes très aimable, *madame*, je vous remercie.

— Je vous en prie, répondit la comtesse en se

levant. Serenity, faites visiter le parc à votre ami pendant je m'occupe de faire préparer sa chambre.

Elle se tourna en même temps vers Tony et lui tendit une nouvelle fois la main.

— Nous prenons l'apéritif à 19 h 30, monsieur Rollins. Je suis impatiente de vous revoir.

# Chapitre 8

Serenity, debout face à son miroir, voyait à peine son reflet — celui d'une jeune femme élancée, vêtue d'une robe de crêpe améthyste dont les pans flottaient avec grâce sur ses hanches —, tant son esprit était occupé par tous les événements de l'après-midi. Et ceux-ci dessinaient sur son visage une palette d'émotions allant du plaisir à l'irritation, de la déception à l'amusement.

Après que la comtesse les eut laissés seuls dans le salon, elle avait accompagné Tony pour lui montrer le parc. Il avait vaguement admiré le jardin, s'en tenant à ses beautés superficielles, incapable de discerner au-delà des roses et des géraniums la poésie des couleurs, des textures et des odeurs. L'allure du vieux jardinier l'avait amusé, et il s'était montré légèrement mal à l'aise devant l'immensité de la vue qui s'étendait depuis la terrasse. Il aurait préféré, selon ses propres termes, voir quelques maisons ou au moins un feu de circulation. Elle avait hoché la tête, prise d'une indulgente affection, mais elle avait compris combien elle avait peu en commun avec l'homme avec lequel elle avait passé tant de mois.

Il avait été en revanche conquis et impressionné par la châtelaine. Il n'avait jamais rencontré, avait-il affirmé, plein d'admiration et de respect, quelqu'un qui ressemblait aussi peu à une grand-mère. Elle était incroyable — un point de vue qu'elle partageait, mais pour d'autres raisons qu'elle n'avait pas jugé nécessaire d'énumérer. La comtesse avait, d'après Tony, l'autorité d'une reine accordant ses audiences avec indulgence, et elle s'était montrée si aimable avec lui, si intéressée par tout ce qu'il avait dit !

Oh ! oui, avait songé Serenity, essayant sans succès de se sentir irritée par le comportement de sa grand-mère. Oh ! oui, la comtesse s'était montrée *très* intéressée par ce cher et naïf Tony. Mais quel était le but du jeu auquel elle s'était livrée ? Car sa sollicitude dépassait évidemment le cadre de sa benoîte curiosité.

Décidée à en avoir le cœur net, lorsque Tony s'était installé dans sa chambre — stratégiquement située, avait-elle constaté, à l'extrémité opposée de l'aile où se trouvait la sienne —, Serenity s'était mise à la recherche de sa grand-mère, au prétexte de la remercier de son hospitalité.

Elle l'avait trouvée dans sa chambre, assise devant son élégant secrétaire Régence, occupée à rédiger sa correspondance. Ecartant son papier à lettre armorié, la comtesse l'avait accueillie avec un sourire, dont l'innocence lui avait aussitôt paru suspecte.

— *Alors* ? avait-elle dit en posant sa plume pour l'inviter à s'asseoir dans un petit divan de brocart. J'espère que votre ami trouve sa chambre agréable.

— *Oui, grand-mère.* Je vous remercie de l'avoir invité à passer la nuit ici.

— *Il n'y a pas de quoi, ma chérie.* Le château est votre demeure autant que la mienne. Et c'est ainsi que vous devez le considérer.

— *Merci, grand-mère,* s'était-elle contentée de répondre afin de lui laisser l'initiative de la conversation.

— C'est un jeune homme très bien élevé, avait repris la comtesse.

— *Oui, madame.*

— Et séduisant, bien que — elle avait fait une pause — d'une façon somme toute… banale.

— *Oui, madame,* avait-elle encore approuvé.

— J'ai toujours préféré les hommes plus insolites, plus puissants et énergiques. A l'allure, disons peut-être plus — un fin sourire avait dansé sur ses lèvres — flibustière. Si vous voyez ce que je veux dire.

— Ah, *oui, grand-mère,* avait-elle opiné en maintenant son air ingénu. Je vois très bien.

— *Bien,* avait dit la comtesse avant de hausser légèrement les épaules. Certaines préfèrent les hommes plus fades.

— En effet.

— M. Rollins est très intelligent, bien élevé, très méthodique et sérieux.

*Et ennuyeux*, avait-elle complété en son for intérieur avant de donner voix à l'agacement qui la gagnait :

— Il aide les vieilles dames à traverser la rue deux fois par jour.

— Ah. Je ne doute pas que cela soit à mettre au compte de ses parents, avait répliqué la comtesse en ignorant, ou feignant d'ignorer, la raillerie. Je suis sûre que Christophe va être très heureux de le rencontrer.

Une légère inquiétude s'était infiltrée dans ses pensées.

— J'en suis certaine.

— *Mais oui*, avait affirmé la comtesse dans un sourire. Christophe sera très intéressé de connaître un de vos amis si proche.

Son insistance sur le dernier mot avait été très nette, et Serenity avait senti, en même que son inquiétude, croître sa vigilance.

— Je ne vois pas pourquoi Christophe devrait être si intéressé par Tony, *grand-mère*.

— Ah, *ma chérie*, je suis certaine que votre M. Rollins va fasciner Christophe.

— Tony n'est pas *mon* M. Rollins, avait-elle corrigé en se levant. Et je ne vois vraiment pas ce qu'ils ont en commun.

— Vraiment ? s'était étonnée la comtesse avec une telle innocence qu'elle avait dû réprimer son sourire.

— Vous êtes une coquine, *grand-mère*. Qu'êtes-vous en train de manigancer ?

Les yeux bleus, remplis de toute l'innocence du monde, avaient croisé les siens.

— Serenity, *ma chérie*, je ne vois pas du tout de quoi vous parlez.

Elle avait voulu répliquer, mais sa grand-mère, de nouveau drapée dans sa royale grandeur, lui avait coupé la parole.

— Je dois terminer mon courrier. Je vous verrai tout à l'heure.

Ainsi congédiée, Serenity avait bien été obligée de partir. Ce qu'elle avait fait, n'autorisant qu'une concession à sa frustration : claquer la porte avec une force excessive.

Ses pensées revenant au présent, Serenity vit sa silhouette se dessiner lentement devant ses yeux. Lissant l'améthyste de sa robe d'une main distraite, puis redressant ses boucles dorées, elle chassa résolument le pli contrarié qui lui barrait le front.

Elle n'avait qu'à garder son sang-froid, se dit-elle en fixant une de ses boucles d'oreilles. Car, à moins qu'elle ne se trompe, son aristocratique grand-mère avait décidé de provoquer des étincelles, ce soir. Mais elle n'obtiendrait rien de son côté.

Après un dernier regard à son reflet, elle s'en alla frapper à la porte de Tony.

— C'est moi, Tony. Si tu es prêt, je descends avec toi.

Un grognement l'invita à entrer. Elle ouvrit la

porte pour le découvrir aux prises avec un bouton de manchette.

— Tu as des ennuis ? lui demanda-t-elle en souriant.

— Très drôle, fit-il avec un geste impatient. Je ne peux rien faire avec ma main gauche.

— Mon père était comme toi, dit-elle, soudain habitée par d'agréables souvenirs. Mais il jurait admirablement. C'est fou le nombre d'adjectifs qu'il trouvait pour décrire une minuscule paire de boutons de manchette.

Elle avança et lui prit le poignet.

— Laisse-moi faire.

Elle entreprit de glisser l'objet à sa place.

— Je me demande ce que tu aurais fait si je n'étais pas venue.

— J'aurais passé la soirée une main dans la poche, répondit-il tranquillement. L'image même de l'élégance continentale, chic et décontractée.

— Oh ! Tony, s'exclama-t-elle en lui souriant. Tu es parfois si adorable.

Un bruit lui fit détourner le regard. Christophe, qui s'était arrêté en passant devant la porte, contemplait l'image qu'ils offraient. Celle d'un couple surpris dans son intimité, se dit-elle brusquement, consciente de leurs sourires détendus et de leurs deux têtes blondes penchées l'une vers l'autre avec la même complicité.

Il les salua, un sourcil à peine levé, et poursuivit son chemin.

— Qui était-ce ? demanda Tony avec une évidente curiosité.

Elle baissa vivement les yeux sur son poignet.

— Le comte de Kergallen, répondit-elle en espérant dissimuler son trouble et sa rougeur.

— Le mari de ta grand-mère ?

L'exclamation incrédule de Tony lui arracha un éclat de rire salutaire.

— Oh ! Tony, tu es trop mignon.

Elle lui tapota le poignet, son bouton de manchette récalcitrant en place, et releva sur lui des yeux amusés.

— Christophe est le comte actuel, et le petit-fils de la comtesse.

— Oh.

Il plissa le front.

— Alors, c'est ton cousin.

— Eh bien…, pas tout à fait.

Elle expliqua l'histoire un peu complexe de la famille et la nature des liens qui l'unissaient au comte breton.

— Par conséquent, acheva-t-elle en le prenant par le bras pour l'entraîner hors de la chambre, on peut nous considérer comme cousins.

— Le genre de cousins qu'on embrasse, observa-t-il avec une évidente contrariété.

— Ne sois pas bête, répliqua-t-elle trop vite, troublée par le souvenir des lèvres exigeantes posées sur les siennes.

Si Tony remarqua sa précipitation, et sa rougeur, il ne fit aucun commentaire.

Ils entrèrent au bras l'un de l'autre dans le salon, et Serenity sentit, sous le regard bref, mais appuyé de Christophe, sa rougeur redoubler. L'expression de son cousin restait pourtant hermétique, et elle aurait donné cher pour savoir ce qu'elle dissimulait.

Elle le regarda glisser les yeux sur l'homme à son bras sans se départir de son détachement tranquille et parfaitement correct.

— Ah, Serenity, *monsieur* Rollins !

La comtesse, dans son grand fauteuil de brocart encadré par l'impressionnante cheminée, offrait plus que jamais l'image d'une reine recevant ses sujets. La mise en scène semblait si parfaite que Serenity se demanda un instant si elle était délibérée.

— Christophe, reprit la comtesse d'une voix légère, permets-moi de te présenter *monsieur* Anthony Rollins, venu d'Amérique, l'invité de Serenity.

Elle remarqua, non sans ironie, le choix subtil, mais évident, de la formule. Sa grand-mère faisait clairement de Tony son ami personnel.

— *Monsieur* Rollins, poursuivit la comtesse du même élan, permettez-moi de vous présenter votre hôte, *M. le comte de Kergallen.*

Le titre, marqué d'une légère emphase, établissait la position de Christophe — maître des lieux et du château — sans la moindre ambiguïté. Serenity décocha un regard entendu à sa grand-mère, tandis que les deux hommes échangeaient les salutations d'usage. Du coin de l'œil, elle nota leur légère raideur et leurs regards, teintés de l'ancestrale prudence, sinon de la méfiance, qui anime d'ordinaire deux mâles confrontés l'un à l'autre.

Christophe servit un apéritif à sa grand-mère, demanda à Serenity ce qu'elle voulait, puis se tourna vers Tony. En l'entendant demander comme elle un vermouth, elle retint un sourire. Elle savait qu'il ne prenait que des vodka-martini, parfois un cognac.

La conversation se déroula facilement, nourrie par la comtesse qui puisait fort à propos dans les informations qu'elle avait si commodément soutirées à Tony dans l'après-midi.

— Il est si rassurant de savoir Serenity entre de si bonnes mains en Amérique, avança-t-elle avec un aimable sourire sans tenir compte du regard que lui adressait sa petite-fille. Vous êtes amis depuis quelque temps, *non* ?

Sa légère hésitation sur le terme « amis » ne fit qu'accroître la contrariété de Serenity.

— Oui, reconnut Tony en tapotant sa main avec affection. Nous nous sommes rencontrés il y a à peu près un an, lors d'un dîner. Tu te rappelles, chérie ?

Comme il se tournait vers elle pour lui sourire, elle se dépêcha d'effacer sa grimace de contrariété.

— Bien sûr, c'était chez les Carson.

— Et vous avez traversé l'Atlantique pour une si courte visite, enchaîna la comtesse d'une voix pleine de tendre indulgence. Quelle délicate attention. N'est-ce pas, Christophe ?

— Très délicate, dit-il en levant son verre.

Quelle manipulatrice, songea Serenity, stupéfaite. Sa grand-mère savait parfaitement que Tony était venu en France pour affaires. Que cherchait-elle ?

— Quel dommage que vous ne puissiez rester plus longtemps, *monsieur* Rollins. C'est agréable pour Serenity d'avoir un compatriote auprès d'elle. Montez-vous à cheval ?

— A cheval ? répéta-t-il, l'air décontenancé. Non, j'ai peur que non.

— *Quel dommage.* Serenity non plus ne savait pas. Mais Christophe lui apprend. A ce propos, comment progresse ton élève, Christophe ?

— *Très bien, grand-mère*, répondit-il en posant les yeux sur Serenity. Elle est douée, et maintenant que les premières courbatures sont passées, poursuivit-il avec un sourire fugace qui lui rappela de troublants souvenirs, nous progressons agréablement. N'est-ce pas, *ma chère* ?

— Oui, admit-elle, perturbée par son étonnante gentillesse après des jours de politesse glaciale. Je suis heureuse que vous m'ayez convaincue d'apprendre.

— Tout le plaisir est pour moi.

Son sourire énigmatique ne fit qu'accroître sa confusion.

— Peut-être aurez-vous le plaisir d'initier M. Rollins à son tour, Serenity, quand vous en aurez l'occasion, avança la comtesse.

Alertée par l'innocence du ton, elle considéra sa grand-mère d'un œil suspicieux.

*Quelle intrigante !* fulmina-t-elle en comprenant tout à coup ses manigances. Elle ne cherchait qu'à dresser Christophe et Tony l'un contre l'autre, et la mettait entre eux deux. Mais son indignation, devant la lueur de franche espièglerie qui dansait dans les yeux clairs, céda vite à l'amusement.

— Peut-être, *grand-mère*, mais je doute de passer du rôle d'élève à celui de professeur avant un certain temps. Deux brèves leçons ne font pas de moi une experte.

— Oh ! mais il y aura d'autres leçons, *n'est-ce pas* ?

Sans attendre de réponse, sa grand-mère se leva avec grâce et se tourna vers Tony.

— *Monsieur* Rollins, auriez-vous l'amabilité de me conduire à table ?

Tony sourit, grandement flatté, et prit la comtesse par le bras. Serenity les regardait s'éloigner, se demandant lequel des deux conduisait l'autre, lorsque Christophe la fit sursauter.

— Il semblerait, *ma chère*, commença-t-il en lui tendant la main pour l'aider à se lever, que vous deviez faire avec moi.

— Je pense être en mesure de supporter ce désagrément, répliqua-t-elle en ignorant les furieux battements de son cœur lorsque sa main se referma sur la sienne.

— Votre Américain ne doit pas être très malin, reprit-t-il sur le ton de la conversation, en se penchant vers elle de façon déroutante. Il vous connaît depuis près d'un an, et n'est toujours pas votre amant.

Serenity sentit son visage s'enflammer, d'indignation et d'embarras, et elle le fusilla du regard.

— Vraiment, Christophe, vous m'étonnez. Quelle remarque incroyablement grossière !

— Mais pertinente, répliqua-t-il, imperturbable.

— Tous les hommes ne pensent pas qu'au sexe. Tony est tendre et plein d'égards, à la différence de certaines brutes despotiques que je ne nommerai pas.

Il se contenta de sourire, avec une insupportable suffisance.

— Votre Tony vous fait-il battre le pouls comme il bat en ce moment même ?

Son pouce caressait son poignet.

— Ou votre cœur ?

Sa main couvrit le cœur galopant dont il parlait, et ses lèvres vinrent effleurer les siennes d'un baiser si léger, si différent des autres, qu'elle vacilla.

Il laissa sa caresse s'attarder, taquinant le coin de ses lèvres, mais, au lieu d'exaucer la promesse de son baiser, il glissa avec une adresse consommée vers son oreille pour la mordiller délicatement. Une vague de picotements la parcourut, créant une onde de délicieux frissons. Tandis qu'elle soupirait, entraînée par un désir sourd et bouillonnant, elle sentit ses doigts glisser le long de sa nuque, puis se déplacer avec une paresse dévastatrice sur la peau de son dos nu jusqu'à ce qu'elle flanche, malléable, entre ses bras, et cherche l'assouvissement de son baiser. Il ne lui donna qu'une brève satisfaction avant de partir à l'assaut de sa gorge, pendant que ses mains passaient d'une courbe à l'autre, taquinaient le galbe de ses seins, puis descendaient sur ses hanches pour les presser légèrement.

Murmurant son prénom, elle s'abandonna contre lui, implorant le baiser que lui refusait sa bouche, voulant qu'il la possède, désirant ce qu'il était le seul à pouvoir lui donner, et finissant par s'accrocher à son cou, dans une supplique muette.

— Dites-moi, murmura-t-il — et elle perçut, à travers les brumes de son alanguissement, le ton légèrement moqueur de sa voix —, est-ce que Tony vous a entendue soupirer son prénom de cette façon ? A-t-il senti votre corps fondre contre le sien quand il vous tenait ainsi entre ses bras ?

Elle s'arracha à son étreinte, humiliée, frémissante de colère et désir.

— Quelle suffisance, s'étrangla-t-elle. Ce que Tony m'inspire ne vous regarde pas, *monsieur*.

— C'est ce que vous pensez ? s'enquit-il d'un ton courtoisement intéressé. Nous devons en discuter, *ma belle cousine*, mais plus tard. Pour le moment, nous ferions mieux de rejoindre grand-mère et notre invité. Ils risquent de se demander ce que nous faisons, acheva-t-il sur un sourire à l'amabilité détestable.

Ils n'avaient aucune raison de s'inquiéter, constata Serenity en entrant dans la salle à manger au bras de Christophe. La comtesse, penchée sur la collection d'anciennes boîtes de Fabergé exposées dans une vitrine, distrayait admirablement Tony.

Le repas débuta sur une vichyssoise rafraîchissante et, tandis que la conversation se déroulait en anglais, par égard pour Tony, et sur des sujets généraux, elle sentit sa tension s'alléger. Au moment du second service, un homard grillé, elle avait recouvré son calme. Le crustacé était un pur délice. Elle ne savait pas si la cuisinière était un dragon, comme Christophe l'avait dit en plaisantant le jour de son arrivée, mais si c'était le cas, c'était un dragon plein de talent.

— Ta mère a dû s'adapter facilement à votre maison de Georgetown, Serenity, déclara tout à coup Tony.

Elle le dévisagea, un peu déconcertée.

— Je ne suis pas sûre de comprendre ce que tu veux dire, Tony.

— Votre maison a beaucoup de points communs avec le château, observa-t-il.

Comme elle restait perplexe, il poursuivit, l'air un peu surpris de devoir s'expliquer :

— Bien sûr, tout est beaucoup plus grand ici, mais ce sont les mêmes plafonds hauts, il y a une cheminée dans chaque pièce, et le style de mobilier est le même. Enfin, Serenity, même la rampe d'escalier est identique ! Tu l'as certainement remarqué ?

— Heu, oui, je suppose, commença-t-elle lentement, mais je ne m'étais pas vraiment fait la réflexion.

Peut-être que son père avait choisi la maison de Georgetown parce qu'il avait vu ces similitudes, se dit-elle. Et sa mère avait choisi les meubles en pensant à ceux de son enfance. Cette réflexion avait quelque chose de curieusement réconfortant.

— Oui, même la rampe, reprit-elle en souriant. Quand j'étais petite, je passais mon temps à glisser dessus depuis le dernier étage. Je me cognais à chaque palier, et j'étais obligée de poser pied à terre pour remonter, mais je ne descendais jamais l'escalier autrement, ou presque.

Elle rit.

— Maman disait toujours qu'une autre partie de mon anatomie devait être aussi dure que ma tête pour supporter un tel traitement !

— Elle me disait la même chose.

Stupéfaite, Serenity se tourna vers Christophe.

— *Mais oui, petite cousine*, lui offrit-il avec l'un de ses rares sourires radieux. Pourquoi marcher quand on peut glisser ?

L'image d'un petit garçon aux cheveux noirs dévalant la rampe d'escalier sous les éclats de rire de sa mère jeune fille, lui vint à l'esprit, et sa stupéfaction s'effaça devant le sourire qu'elle sentait naître sur ses lèvres, aussi lumineux que celui de Christophe.

Le reste du repas se déroula dans une atmosphère chaleureuse et s'acheva sur un soufflé au raisin, plus léger qu'un nuage et accompagné d'une coupe de champagne.

Lorsqu'ils passèrent dans le salon, Serenity déclina l'offre de cognac ou de liqueur. Elle s'était laissée glisser dans une ambiance heureuse et détendue et ne voulait pas gâcher son plaisir. Elle soupçonnait qu'il était dû, au moins en partie, au vin servi avec chaque plat — et non à l'étreinte troublante qui avait eu lieu avant le dîner. Quoi qu'il en soit, personne ne semblait s'apercevoir de sa douce béatitude, de ses joues rouges, de ses réponses presque mécaniques. Ses sens lui paraissaient incroyablement aiguisés. Elle percevait, avec une étonnante acuité, toutes les nuances de la musique des voix, le bourdonnement grave des hommes, le timbre clair et léger de sa grand-mère. Chaque fois que la fumée âpre du cigare de Christophe dérivait vers elle, elle inspirait avec sensualité ; elle sentait même, mêlée aux effluves discrets des parfums féminins, la douce odeur des roses qui débordaient de chaque vase de porcelaine. Le salon baignait dans une harmonie de formes, de sonorités, de couleurs, dont elle goûtait la fluidité. Les lumières douces, la brise nocturne qui soulevait les rideaux, le léger tintement des verres posés sur la table, tout se mêlait dans un équilibre parfait pour composer une toile impressionniste dont chaque détail s'imprimait dans sa mémoire.

La comtesse, majestueuse sur son trône de brocart, présidait, un délicat verre de crème de menthe, ourlé d'or, à la main. Tony et Christophe, assis l'un en face de l'autre, étaient aussi différents que le jour et la nuit. Comme un ange et un démon. *Ange et démon*, se répéta-t-elle, surprise de la formule qui lui venait à l'esprit. Elle les regarda plus attentivement.

Tony, doux, fiable, prévisible, n'exerçait sur elle que la plus délicate des pressions. Tony à l'insistance discrète, Tony dont la patience était infinie, et les projets soigneusement mûris. Qu'éprouvait-elle pour lui ? De l'affection, de la loyauté, de la gratitude pour avoir été là quand elle avait eu besoin de lui. Un amour doux, tranquille et confortable.

Son regard glissa sur Christophe. Tout à la fois arrogant, dominateur, exaspérant, excitant, il exigeait et obtenait ce qu'il voulait. N'accordant ses brusques et stupéfiants sourires qu'avec parcimonie, il s'était emparé de son cœur comme un voleur surgi dans la nuit. Il était d'humeur changeante quand Tony était constant ; autoritaire quand Tony était persuasif. Mais si les baisers de Tony avaient été agréables et séduisants, ceux de Christophe étaient terriblement enivrants, ils l'emportaient, enflammée, dans un tourbillon de sensations et de désir inconnus. Et l'amour qu'il lui inspirait n'était ni doux ni confortable, mais fougueux et implacable.

— Quel dommage que vous ne jouiez pas du piano, Serenity.

La remarque de la comtesse la ramena tout à coup à la réalité. Elle sursauta, vaguement coupable.

— Oh ! mais elle joue, *madame*, s'exclama Tony avec un grand sourire. Atrocement, mais elle joue.

— Traître, lui lança-t-elle en riant.

— Vous ne jouez pas correctement ? s'étonna la comtesse, manifestement incrédule.

— Je suis navrée d'attirer une fois de plus la disgrâce sur la famille, *grand-mère*, s'excusa-t-elle, mais Tony a parfaitement raison. Je ne joue pas seulement mal, je joue de façon lamentable. J'ai même choqué Tony, qui manque pourtant totalement d'oreille.

— Ton jeu offenserait un mort, chérie, répliqua-t-il en se penchant vers elle pour repousser tendrement une mèche de ses cheveux.

— C'est vrai, reconnut-elle en lui souriant avant de revenir à sa grand-mère. Pauvre *grand-mère*, n'ayez pas l'air si désolé.

Son sourire se fana, lorsqu'elle croisa le regard glacial de Christophe.

— Mais Gaelle jouait si bien ! répondit sa grand-mère avec un geste navré de la main.

Serenity s'arracha au regard de Christophe.

— Ma mère n'a jamais compris comment je pouvais aussi bien massacrer la musique. D'ailleurs, et malgré son infinie patience, elle a fini par me laisser à ma peinture et mes pinceaux.

— *Extraordinaire !* s'exclama la comtesse.

Serenity haussa les épaules et but une gorgée de café.

— Puisque vous ne pouvez pas jouer pour nous, *ma petite,* reprit sa grand-mère en changeant visiblement d'idée, peut-être que M. Rollins apprécierait que vous lui fassiez faire un tour du parc. Serenity adore le parc au clair de lune, précisa-t-elle, un grand sourire aux lèvres. *N'est-ce pas ?*

— C'est tentant, avoua Tony avant qu'elle ne puisse répondre.

Elle se leva, avec un regard à sa grand-mère qui en disait long, et se laissa entraîner dehors.

# Chapitre 9

Pour la seconde fois de son séjour, Serenity se promenait dans le parc au clair de lune, au bras d'un homme séduisant. Et, pour la seconde fois, elle regrettait tristement que cet homme ne soit pas Christophe. Le silence était néanmoins agréable, tout comme son compagnon, et elle goûtait l'air de la nuit et le plaisir de leurs mains familièrement enlacées.

— Tu es amoureuse de lui, n'est-ce pas ?

La question brisa la tranquillité comme une vitre fracassée par une pierre. Elle s'immobilisa et regarda Tony, les yeux écarquillés.

— Serenity, commença-t-il dans un soupir en effleurant sa joue d'un doigt léger, je te connais si bien. Tu fais de ton mieux pour le cacher, mais tu es folle de lui.

— Tony, bredouilla-t-elle, coupable et malheureuse, je… Je n'ai jamais voulu que ça arrive. Je ne l'apprécie même pas !

— Seigneur, lâcha-t-il dans un rire bas et une grimace. J'aimerais que tu ne m'apprécies pas de cette façon. Mais, ajouta-t-il en lui prenant le menton, ça n'a jamais été le cas.

— Oh ! Tony.

— Tu as toujours été honnête, chérie, enchaîna-t-il, apaisant. Tu n'as pas à te sentir coupable. Je pensais, à force d'assiduité, finir par te faire céder.

Il passa un bras autour de ses épaules et reprit leur marche.

— Tu sais, Serenity, ton allure est trompeuse. Tu sembles si fragile, si délicate, qu'un homme a presque peur de te toucher de crainte de te briser, mais en fait tu es d'une force surprenante.

Il lui serra brièvement les épaules.

— Tu ne trébuches jamais, chérie. J'ai attendu un an, mais tu n'as jamais trébuché.

— Mes humeurs et mon emportement auraient fini par t'être insupportables, Tony.

Elle s'appuya contre lui.

— Je ne pourrai jamais t'apporter ce dont tu as besoin, et si j'essayais d'être quelqu'un d'autre ça ne pourrait pas marcher. Nous finirions par nous détester.

— Je le sais. Je le sais depuis longtemps, mais je ne voulais pas l'admettre.

Il lâcha un profond soupir.

— Quand tu es partie pour la Bretagne, je savais que c'était terminé. C'est la raison pour laquelle je suis venu. J'avais besoin de te revoir une dernière fois.

Ses mots semblaient si définitifs qu'elle le regarda avec surprise.

— Mais nous nous reverrons, Tony ! Nous resterons amis. Je vais revenir.

Il s'arrêta de nouveau et chercha son regard.

— Tu en es sûre, Serenity ? lui demanda-t-il après un long silence.

Puis, sans attendre sa réponse, il l'entraîna vers les lumières du château.


Le lendemain matin, sous un soleil caressant, Serenity accompagnait Tony à sa voiture. Il avait fait ses adieux à la comtesse et Christophe, et la petite Renault rouge l'attendait. Elle le regarda ranger sa valise dans le coffre, considérer son geste un instant puis claquer résolument le capot. Il se tourna alors vers elle et lui prit les mains.

— Je te souhaite beaucoup de bonheur, Serenity.

Ses doigts se serrèrent sur les siens.

— Pense à moi quelques fois.

— Bien sûr que je vais penser à toi, Tony. Je t'écrirai pour t'annoncer mon retour.

Il lui sourit et contempla son visage, comme s'il voulait en imprimer chacun des traits dans sa mémoire.

— Je garderai cette image de toi : la belle Serenity Smith aux yeux d'or, dans cette jolie robe jaune, auréolée de soleil, et un château derrière toi.

Il se pencha pour l'embrasser. Submergée par une

vive émotion, et la brusque certitude qu'elle ne le reverrait jamais, elle se jeta à son cou et se serra contre le passé qui, avec lui, s'enfuyait. Il déposa un baiser sur ses cheveux, puis l'écarta gentiment.

— Au revoir, chérie, dit-il en prenant son visage entre ses mains.

— Au revoir, Tony. Prends soin de toi, lui répondit-elle en refoulant vaillamment ses larmes pour lui sourire.

Elle le regarda monter au volant et s'éloigner en agitant la main par la fenêtre. La voiture ne fut bientôt plus qu'un petit point rouge entre les arbres, puis disparut tout à fait. Serenity resta immobile, laissant ses larmes couler sur son visage. Un bras glissa alors sur sa taille. Elle se tourna sur le regard plein de compréhension et de tendresse de sa grand-mère, qui était venue la rejoindre.

— Vous êtes triste de le voir partir, *n'est-ce pas, mon enfant*?

Son étreinte était réconfortante et elle se laissa aller sur son épaule.

— *Oui, grand-mère*, très triste.

— Mais vous n'êtes pas amoureuse de lui.

C'était plus une affirmation qu'une question, aussi soupira-t-elle.

— Il comptait beaucoup pour moi. Il va beaucoup me manquer.

Elle essuya ses larmes.

— Je ferais mieux d'aller dans ma chambre, pleurer un bon coup.

— *En effet,* approuva la comtesse en lui tapotant affectueusement l'épaule. Peu de chose éclaircit aussi bien l'esprit et le cœur qu'une bonne crise de larmes.

Serenity se jeta dans les bras de sa grand-mère qui l'étreignit, avant de l'écarter doucement.

— *Allez, filez vite, mon enfant.* Allez verser vos larmes.

Elle s'élança vers le perron, poussa la lourde porte de chêne et se précipita vers l'escalier, sentant à peine la fraîcheur du château tomber sur ses épaules. Un corps dur l'arrêta. Des mains l'agrippèrent.

— Faites attention où vous allez, *ma chère*, fit la voix moqueuse de Christophe. Ou vous allez vous cogner contre les murs et abîmer votre si joli nez.

Elle tenta de se dégager, mais une main ferme la maintenait, tandis que l'autre glissait sous son menton pour l'obliger à lever la tête.

A travers ses larmes, elle vit la raillerie s'effacer du regard moqueur posé sur elle, pour être remplacée par la surprise, puis l'inquiétude, et enfin un désarroi inattendu.

— Serenity ?

L'interrogation de Christophe, prononcée avec une gentillesse qu'elle n'avait jamais entendue, et la tendresse de son regard, tout aussi surprenante, achevèrent de briser le peu d'assurance qui lui restait.

— S'il vous plaît, bredouilla-t-elle dans un sanglot, laissez-moi partir.

Elle se débattit, luttant désespérément contre ses

larmes et l'envie déchirante d'être serrée dans les bras de cet homme tout à coup si agréable.

— Je peux faire quelque chose ? lui demanda-t-il en ne la retenant plus que par le bras.

*Oui, idiot ! M'aimer !* faillit-elle s'écrier.

— Non, répondit-elle en s'enfuyant dans l'escalier. Non, non, non !

Elle grimpa les marches comme une biche poursuivie par les chasseurs et s'engouffra dans sa chambre pour se jeter, le corps secoué de sanglots, sur son lit.

Le flot de ses larmes finalement endigué, Serenity fut de nouveau en mesure d'affronter le monde et ce que l'avenir lui réservait. Elle aperçut alors, en s'asseyant sur son lit, l'enveloppe marron qu'elle avait négligemment laissée sur son bureau.

Il était sans doute temps de savoir ce que le vieux Barkley lui voulait, se dit-elle en se levant à contrecœur.

Elle prit l'enveloppe et retourna sur son lit pour l'ouvrir et étaler son contenu devant elle.

Il s'agissait d'une page à en-tête du cabinet d'avocat — dont le sigle lui rappela aussitôt Tony — et d'une seconde enveloppe, scellée. Elle prit la feuille soigneusement dactylographiée et, résignée à découvrir quel formulaire de plus le vieil avocat de la famille lui avait trouvé à remplir, commença sa lecture. La première phrase, tout à fait inattendue, lui fit l'effet d'un électrochoc.

« Chère mademoiselle Smith,

» Vous trouverez ci-joint une enveloppe à votre nom, contenant une lettre de votre père. Cette lettre m'a été confiée pour vous être transmise au cas où vous entreriez en contact avec la famille de votre mère en Bretagne. J'ai appris, par l'entremise d'Anthony Rollins, que vous résidiez actuellement au château de Kergallen, auprès de votre grand-mère maternelle. J'ai donc chargé ce même Anthony de vous remettre ce courrier au plus vite.

» M'eussiez-vous informé de votre projet, je vous eus transmis les volontés de votre père avant votre départ. Je n'ai, naturellement, aucune connaissance du contenu de son courrier, mais je ne doute pas que le message qu'il vous adresse vous apporte du réconfort.

» M. Barkley »

Abandonnant la lettre de l'avocat, elle avisa l'enveloppe contenant le message que son père lui destinait. Celle-ci était tombée sur le lit, face contre la couverture. Elle la prit, la retourna et, devant l'écriture familière, sentit ses yeux s'embuer de nouveau. Elle déchira le cachet.

Les lignes, rédigées de la main ferme et claire de son père, s'étendaient sur plusieurs feuillets.

« Ma Serenity chérie,

» Lorsque tu liras ceci, ta mère et moi ne serons plus de ce monde, et j'espère que ton chagrin n'est pas trop lourd, parce que l'amour que nous éprouvons pour toi reste entier et aussi fort que la vie elle-même.

» A l'heure où j'écris ces mots, tu as dix ans et tu es déjà, à l'image de ta mère, d'une telle beauté que je commence à m'inquiéter des garçons que je vais un jour devoir affronter. Je t'observais ce matin, tandis que tu étais tranquillement assise (une tranquillité plutôt exceptionnelle te concernant, puisque je suis plus habitué à te voir patiner sur les trottoirs, à une vitesse horrifiante, ou glisser sur la rampe de l'escalier sans te soucier des bleus ou des bosses). Tu étais donc assise au jardin, avec mon carnet de croquis et un crayon, occupée à dessiner, avec une concentration féroce, les azalées qui fleurissent là. J'ai compris en cet instant, avec fierté et désespoir, que tu grandissais et ne serais pas toujours ma petite fille, protégée par la sécurité que ta mère et moi t'apportons. J'ai alors compris qu'il était nécessaire de mettre par écrit les événements que tu pourrais un jour avoir besoin de connaître et comprendre.

» Je vais demander au vieux Barkley [découvrir que l'avocat était affublé de ce qualificatif des années auparavant fit naître un sourire sur les lèvres de Serenity] de conserver cette lettre pour toi jusqu'au jour où ta grand-mère, ou un autre membre de la famille de ta mère, cherchera à te contacter.

Si cela ne se produit pas, il n'y aura aucune raison de divulguer le secret que ta mère et moi gardons depuis maintenant plus de dix ans.

» Il y a donc un peu plus de dix ans, je peignais dans les rues de Paris. Epris de la glorieuse éclosion du printemps, amoureux de la ville, je n'éprouvais le besoin d'aucune autre maîtresse que mon art. J'étais très jeune et, j'en ai bien peur, très passionné. Quoi qu'il en soit, j'ai fait la connaissance d'un homme, Jean-Paul Le Goff. Impressionné, comme il me le dit alors, par mon « jeune et brut talent », il m'a engagé pour faire le portrait de sa fiancée ; un tableau qu'il voulait lui offrir comme cadeau de mariage. J'ai accepté son offre et il a organisé mon voyage en Bretagne et mon séjour au château de Kergallen. Ma vie a commencé le jour où j'ai franchi le seuil de l'immense entrée et posé pour la première fois les yeux sur ta mère.

» Je n'avais pas l'intention d'encourager l'amour que j'ai éprouvé au premier regard pour cet ange délicat, aux cheveux d'or. Je me suis efforcé, de tout mon être, de placer mon art en premier. J'étais là pour faire son portrait ; elle appartenait à mon client ; elle appartenait au château. Elle était un ange, et une aristocrate issue d'une famille au lignage ancestral. Autant de réalités que je me suis répétées des centaines de fois. Jonathan Smith, artiste vagabond, n'avait aucun droit sur elle, même pas celui de la posséder dans ses rêves, et encore moins dans la réalité. Parfois, j'en étais alors à mes premières esquisses, il m'arrivait de penser que j'allais mourir d'amour pour elle. Je me répétais qu'il me fallait partir, inventer une excuse et m'en aller, mais je n'ai pas trouvé le courage de le faire. J'en remercie le ciel aujourd'hui.

» Une nuit, tandis que je marchais dans le parc, j'ai aperçu ta mère. J'allais faire demi-tour sans la déranger, mais elle m'a entendu et, quand elle s'est tournée, j'ai vu dans ses yeux ce dont je n'osais pas rêver. Elle m'aimait. J'aurais pu crier de joie tellement j'étais heureux, mais tant d'obstacles se dressaient entre nous. Elle était fiancée, liée par l'honneur à un autre. Nous n'avions pas le droit de nous aimer. A-t-on besoin d'un droit pour s'aimer, Serenity ? Certains nous ont condamnés, j'espère que ce n'est pas ton cas. Après beaucoup de discussions et de larmes, nous avons défié ce que certains appelleraient la morale et l'honneur, et nous nous sommes mariés. Gaelle m'a supplié de garder le secret jusqu'à ce qu'elle trouve la bonne façon d'annoncer notre mariage à Jean-Paul et sa mère. Je voulais que tout le monde soit au courant, mais j'ai accepté. Elle avait renoncé à tant de choses pour moi que je ne pouvais rien lui refuser.

» Durant cet intervalle, un problème beaucoup plus inquiétant est arrivé. La comtesse, ta grand-mère, avait en sa possession une Madone de Raphaël, fièrement accrochée dans le grand salon du château.

Cette toile, m'avait-elle dit, était dans sa famille depuis des générations. C'était, à l'exception de Gaelle, son plus cher trésor au monde. Il semblait incarner la perpétuité de sa famille, comme un flambeau dont la lumière n'avait pas faibli malgré l'enfer de la guerre et du deuil. J'avais regardé cette peinture avec attention et je la soupçonnais d'être un faux. Je n'ai rien dit, d'abord parce que j'ai cru que la comtesse l'avait elle-même fait faire. Les Allemands lui avaient pris tant de choses, son mari, sa maison, qu'ils avaient aussi bien pu lui arracher son Raphaël. Lorsqu'elle annonça son intention d'en faire don au musée du Louvre, dans le but d'offrir à tous la grandeur de cette œuvre, une véritable peur m'a saisi. J'aimais beaucoup cette femme, sa fierté, sa détermination, sa grâce et sa dignité. Je n'avais aucune envie de la voir blessée, et j'ai compris qu'elle n'avait aucun doute sur l'authenticité de la toile. Je savais, si la peinture était rejetée comme un faux, que le scandale serait une épreuve pour Gaelle et un choc qui pourrait détruire sa mère. J'ai proposé de la restaurer, dans le but de l'examiner plus attentivement, et je me sentais comme un traître.

» J'ai monté la toile dans l'atelier de la tour et, après un examen approfondi, je n'ai plus eu le moindre doute : c'était une copie parfaitement exécutée. Aujourd'hui encore, j'ignore ce que j'aurais fait sans la lettre que j'ai découverte, cachée derrière le cadre. C'était la confession du premier mari de la comtesse, un cri de désespoir devant la trahison qu'il avait commise. Il avouait avoir perdu presque tous ses biens et ceux de son épouse. Criblé de dettes, et considérant que les Allemands allaient vaincre les Alliés, il s'était arrangé pour leur vendre le Raphaël. Il avait fait faire une copie et échangé les toiles sans que la comtesse ne le sache, sûr que l'argent l'aiderait à traverser les épreuves de la guerre et que ce marché avec les Allemands mettrait son domaine à l'abri. Plus tard, trop tard, il avait désespéré de son geste. Après avoir caché sa confession dans le cadre du tableau, il est allé voir ceux avec lesquels il avait traité, dans l'espoir de leur rendre l'argent et retrouver le Raphaël. Sa lettre s'achevait sur cette intention, et demandait le pardon s'il échouait dans sa tentative de redresser ses torts.

Au moment où j'achevais ma lecture, Gaelle est entrée dans la pièce ; je n'avais pas eu le réflexe de fermer la porte à clé. Je ne pouvais pas dissimuler mon émotion ni la lettre que je tenais encore à la main. Je fus donc obligé de partager ce fardeau avec celle que je voulais, plus que toute autre, épargner. J'ai alors découvert, dans cette tour reculée, que la femme que j'aimais possédait bien plus de force que la plupart des hommes. Elle refusait, quel qu'en soit le prix, de dire quoi que ce soit à sa mère. Il était impératif de protéger la comtesse de l'humiliation ; celle-ci ne devait savoir, sous aucun prétexte, que la peinture qu'elle aimait tant n'était qu'un faux.

Nous avons alors imaginé un plan pour cacher la peinture, et qu'on puisse croire qu'elle avait été volée. Peut-être avions-nous tort. Je ne sais toujours pas si nous avons bien fait ; mais, pour ta mère, il n'y avait pas d'autre solution. Ainsi avons-nous jeté les dés.

» Gaelle fut vite obligée de concrétiser son intention d'annoncer notre mariage à sa mère. Elle avait découvert, à notre plus immense joie, qu'elle portait notre enfant, toi, le fruit de notre amour qui allait devenir le plus cher trésor de notre existence. Lorsqu'elle apprit notre mariage et ta venue, la comtesse s'est mise dans une rage folle. C'était son droit, Serenity, et son animosité à mon égard était, à ses yeux, amplement justifiée. Je lui avais pris sa fille à son insu et, ce faisant, je marquais l'honneur de la famille d'une tache indélébile. Dans sa colère, elle renia Gaelle, exigea que nous quittions le château, sans espoir de retour. Je crois qu'avec le temps, elle serait revenue sur cette décision ; elle aimait Gaelle plus que tout. Mais elle découvrit le même jour la disparition du Raphaël. Additionnant deux et deux, elle m'accusa d'avoir volé sa fille et le trésor de la famille. Comment pouvais-je nier ? Ces deux crimes étaient aussi odieux l'un que l'autre, et Gaelle me suppliait du regard de ne rien dire. Alors j'ai pris ta mère et l'ai emportée loin du château, de son pays, de sa famille, en Amérique.

» Nous n'avons plus parlé de sa mère, parce que cela n'apportait que de la souffrance et du chagrin, et nous avons construit notre nouvelle vie, avec toi pour resserrer encore nos liens. Tu connais maintenant l'histoire, et avec elle je te donne la responsabilité de conserver ou non le secret. Quand tu liras cette lettre, peut-être sera-t-il possible de dire toute la vérité. Si ce n'est pas le cas, garde-la cachée, comme le faux fut dissimulé, à l'abri des regards, derrière quelque chose d'infiniment plus précieux. Laisse-toi guider par ton cœur.

>> Ton père affectueux. >>

Les larmes de Serenity ruisselaient depuis qu'elle avait commencé sa lecture. Elle les essuya et prit une profonde inspiration. Puis elle se dirigea vers la fenêtre et contempla le jardin dans lequel ses parents s'étaient pour la première fois avoué leur amour.

— Que dois-je faire ? murmura-t-elle, désemparée, la lettre de son père à la main.

Un mois plus tôt, elle serait allée voir la comtesse et lui aurait tout raconté. Mais, à présent, elle ne savait pas.

Laver le nom de son père l'obligeait à révéler un terrible secret, découvert vingt-cinq ans plus tôt et de nouveau enfoui depuis. La vérité était-elle souhaitable, ou détruirait-elle les sacrifices — bons ou mauvais — que ses parents avaient faits pour protéger sa grand-mère ? *Laisse-toi guider par ton cœur,* lui disait son père. Mais sa lettre laissait son cœur si plein d'amour et de tourment qu'il était complètement déboussolé. Quant à sa raison, elle était dominée par le doute. Elle envisagea, l'espace d'un instant, de se tourner vers Christophe, mais repoussa aussi vite cette idée. Se confier à lui ne ferait que la rendre plus vulnérable, et rendre plus douloureuse la séparation qu'elle devait bien se résoudre à envisager.

Elle devait réfléchir, se dit-elle en inspirant plusieurs fois pour se remettre les idées en place. Elle devait réfléchir, peser les enjeux avec clarté, précaution et, quand elle aurait pris une décision, elle devrait être sûre que ce soit la bonne.

Elle commença à arpenter sa chambre, puis s'arrêta subitement, pour changer précipitamment de vêtements. Elle se souvenait du sentiment de liberté, d'espace, qu'elle avait éprouvé en chevauchant dans la forêt. C'était cette sensation, décida-t-elle en enfilant un jean et une chemise, dont elle avait besoin. Ainsi allégerait-elle son cœur et s'éclairci-rait-elle les idées.

# Chapitre 10

Lorsque Serenity lui demanda de seller son cheval, le palefrenier hésita puis, bien qu'avec respect, lui répondit que le comte ne lui avait donné aucune instruction dans ce sens. Elle eut donc recours, pour la première fois de son existence, à son statut d'aristocrate et répliqua que, en tant que petite-fille de la comtesse, elle n'avait nul besoin du patronage de son cousin pour profiter des équipements du château. L'homme s'inclina, un bougonnement breton sur les lèvres, et elle fut vite sur le dos de la jument maintenant familière, en route sur le chemin qu'elle avait emprunté avec Christophe lors de sa première leçon.

La tranquillité de la forêt ne tarda pas à la réconforter, et plus elle avançait dans cet environnement paisible, plus elle était certaine que la réponse qu'elle espérait allait surgir d'elle-même. Toutefois, après avoir chevauché quelque temps d'un pas serein, et épuisé le plaisir de guider facilement sa monture, elle dut se rendre à l'évidence : aucune solution ne se présentait à l'horizon. Alors, elle lança Babette au petit galop.

Cheveux au vent, elle se laissa porter par le sentiment de liberté dont elle avait tellement besoin. La
lettre de son père était glissée dans sa poche. Elle
décida d'aller jusqu'à la colline surplombant le village.
Elle s'arrêterait alors pour la relire. Peut-être que,
d'ici là, la bonne décision aurait trouvé le moyen
de parvenir jusqu'à elle.

Un cri retentissant l'obligea à se retourner sur
sa selle.

Voyant Christophe, au grand galop, la poursuivre sur son étalon noir, elle se remit en position.
Son talon malheureusement heurta le flanc de sa
jument. Babette, prenant ce geste pour un ordre,
s'élança aussitôt dans une foulée ample et énergique.
Désarçonnée par ce brusque changement d'allure,
et tout à l'urgence de ne pas se faire éjecter — son
cheval dévalait le chemin à une vitesse maintenant
folle —, Serenity ne songea d'abord pas au moyen le
plus simple de freiner son cheval. Et, au moment où
l'idée lui venait de serrer les rênes, Christophe était
à sa hauteur. Sans lui laisser la moindre chance de
se débrouiller seule, il se pencha, saisit ses brides
et les tira, en proférant une bordée de jurons dans
une variété de langues impressionnante.

Babette ralentit docilement, et Serenity ferma
les yeux. Mais elle n'eut pas le temps de pousser le
soupir de soulagement qui lui gonflait la poitrine.
Saisie par la taille, elle se sentit arrachée à son
cheval sans le moindre ménagement. Elle ouvrit

les yeux sur le regard incendiaire de Christophe posé sur elle.

— Qu'espériez-vous en m'échappant de la sorte ? lui demanda-t-il en la secouant.

— Je ne cherchais pas à vous échapper, protesta-t-elle, la voix hachée par ses secousses. J'ai dû faire peur au cheval quand je me suis retournée. Ce qui ne se serait pas produit, reprit-elle, maintenant gagnée par la colère, si *vous* ne vous étiez pas lancé à *ma* poursuite.

Elle tenta de se dégager, mais il la maintint avec brutalité.

— Vous me faites mal ! ragea-t-elle. Pourquoi devez-vous toujours me brutaliser ?

— Une nuque brisée serait infiniment plus douloureuse, *folle que vous êtes*, répliqua-t-il en l'écartant des chevaux. Voilà ce qui aurait pu vous arriver. Pourquoi êtes-vous partie sans escorte ?

— Sans escorte ? s'exclama-t-elle dans un éclat de rire en se libérant d'un coup sec. Comme c'est charmant. Les femmes ne sont pas autorisées à monter à cheval toutes seules, en Bretagne ?

— Pas celles qui sont dépourvues de cervelle, répliqua-t-il dans une fureur contenue, et qui ne sont montées que deux fois dans leur vie.

— Je me débrouillais parfaitement bien avant votre arrivée. Maintenant, laissez-moi.

Le voyant, les yeux plissés, avancer dans sa direction, elle se raidit légèrement.

— Partez ! s'écria-t-elle en reculant. Je veux rester seule. J'ai besoin de réfléchir.

— Je vais vous donner de quoi réfléchir, répliqua-t-il en la prenant par le cou.

Elle le repoussa, mais ne parvint pas à se libérer et fut assaillie par la violence de son baiser et le vertige qui l'accompagnait. Il l'écarta presque aussitôt, ses mains dures sur ses épaules.

— *Maintenant, ça suffit !*

Il la secoua encore, et elle vit, sidérée, toute son aristocratie le quitter pour ne laisser qu'un homme furieux et tourmenté devant elle.

— Je vous veux, lâcha-t-il d'une voix sourde. Je veux ce qu'aucun homme n'a eu. Et, *croyez-moi,* je vais l'avoir.

Il la souleva entre ses bras. Elle se débattit sauvagement, envahie par la peur violente et primitive d'un animal pris au piège. Mais il avançait, aussi tranquillement que s'il avait porté un enfant récalcitrant et pas une femme terrorisée.

Puis elle se retrouva sur le sol, écrasée par son corps, sa bouche. Les mouvements frénétiques qu'elle faisait pour se libérer étaient aussi inutiles que les battements d'ailes d'un oiseau contre les barreaux de sa cage. Il ouvrit son chemisier, d'un geste vif et violent, et ses mains prirent possession de sa chair nue avec une telle avidité qu'elle renversait toute notion de résistance, toute volonté de lutte.

Prisonnière d'un tourbillon auquel elle ne pouvait échapper, confondue par la violence de son désir

— les mots « je vous veux » résonnaient encore à ses oreilles —, elle sentit la frayeur qui l'avait d'abord saisie se transformer en sollicitation. Déjà, sa bouche devenait souple et désireuse ; et ses mains, qui l'avaient tout à l'heure rejeté, se refermaient sur lui. Emportée par le flot de la passion, elle s'émerveillait de la virilité qu'elle sentait pressée contre elle et vers laquelle son corps tout entier se portait, dans un mouvement au rythme instinctif. Les mains pressantes qu'il faisait courir sur sa peau nue laissaient des traînées brûlantes que sa bouche venait enflammer. Chacun de ses baisers était plus affamé, plus insatiable, plus profond, et l'exigence, la force de ses caresses l'entraînaient dans un univers inconnu, à la lisière entre l'enfer et le paradis, là où n'existait plus que le désir.

Consumée de douleur et de plaisir, elle était emportée par une spirale enivrante. Chaque volute, dans un enchaînement puissant, la faisait frémir. Et plus elle allait vers ces sensations nouvelles, plus ce frémissement s'intensifiait. Elle s'accrocha alors aux épaules de Christophe et, dans un gémissement noué de crainte et de désir, s'apprêta à verser dans le précipice qui s'ouvrait sous ses pieds.

Mais il s'écarta brusquement et, le souffle court, posa la joue contre son front avant de se redresser et la regarder dans les yeux.

— Je vous fais de nouveau mal.

Il soupira et roula sur le côté.

— Je vous jette sur le sol, prêt à vous violer

comme un barbare. Il semble que j'aie du mal à maîtriser mes plus violents instincts avec vous.

Elle se redressa et s'assit rapidement pour reboutonner, les doigts tremblants, sa chemise.

— Tout va bien, dit-elle d'un ton qu'elle espérait détaché. Je ne suis pas en sucre. Votre technique manque tout de même un peu de finesse, enchaînat-elle dans un bavardage destiné à dissimuler l'étendue de sa désolation. Geneviève est plus fragile que moi.

— Geneviève ? répéta-t-il en se redressant sur un coude. Qu'est-ce que Geneviève vient faire ici ?

— Ici ? Oh ! rien du tout. Rassurez-vous, je n'ai aucune intention de lui parler de cet épisode. Je l'aime beaucoup.

— Peut-être devrions-nous parler français, Serenity. J'ai du mal à vous comprendre.

— Elle est amoureuse de vous, espèce d'imbécile ! lâcha-t-elle sans renoncer à l'anglais. Elle me l'a dit ; elle est venue me demander conseil.

Elle s'interrompit, le temps de contrôler le rire amer qui lui échappait.

— Elle est venue, reprit-elle, plus calme, me demander ce qu'elle devait faire pour que vous la considériez comme une femme et non comme une enfant. Je ne lui ai pas dit ce que vous pensez de moi ; elle n'aurait pas compris.

— Geneviève vous a dit qu'elle est amoureuse de moi ? demanda-t-il, les yeux plissés.

— Pas nommément, répliqua-t-elle d'un ton sec, regrettant d'avoir lancé cette discussion. Elle m'a dit qu'elle est amoureuse depuis toujours d'un homme qui la regarde comme une enfant. Je lui ai dit de lui mettre les points sur les *i*, de lui dire qu'elle est une femme, et… Pourquoi riez-vous ?

— Vous croyez qu'elle parlait de moi ?

Il était retombé sur le dos et riait à gorge déployée, comme elle ne l'avait jamais vu faire.

— L'adorable petite Geneviève, amoureuse de moi !

— Comment osez-vous vous moquer d'elle ? s'emporta-t-elle, scandalisée. Comment pouvez-vous manquer de cœur au point de rire de quelqu'un qui vous aime ?

Il attrapa ses poings avant qu'elle ne puisse le frapper.

— Geneviève ne parlait pas de moi, *chérie*, commença-t-il en la tenant facilement à distance, mais de Iann. Mais vous ne le connaissez pas, n'est-ce pas, *mon amour ?*

Ignorant ses débattements furieux, il poursuivit, un grand sourire aux lèvres.

— Nous avons grandi ensemble, Iann, Yves et moi. Geneviève, la plus jeune de nous tous, courait sans arrêt dans nos pattes. Lorsqu'elle est devenue jeune fille, Yves et moi sommes restés ses grands frères, tandis qu'elle aimait Iann. Il a passé tout le mois dernier à Paris, pour affaires, et n'est rentré qu'hier.

Il l'attira, d'une secousse, contre lui.

— Geneviève m'a téléphoné ce matin pour m'annoncer leurs fiançailles. Elle m'a aussi demandé de vous remercier. Je comprends maintenant pourquoi.

Serenity le regardait, sidérée, tandis que le sourire de Christophe s'élargissait.

— Elle est fiancée ? parvint-elle à articuler. Elle ne parlait pas de vous ?

— Oui, elle est fiancée et, non, elle ne parlait pas de moi, lui répondit-il plein d'obligeance. Dites-moi, *belle cousine*, étiez-vous jalouse d'elle ?

— Ne soyez pas stupide, rétorqua-t-elle en s'écartant de sa bouche beaucoup trop proche. Je ne suis pas plus jalouse de Geneviève que vous ne le seriez d'Yves.

— Ah.

D'un mouvement vif, il la fit rouler sur le côté et se plaça au-dessus d'elle.

— Alors c'est comme ça ? Vous voulez que je vous dise que votre complicité avec Yves m'a rendu fou de jalousie et que j'ai failli assassiner votre Tony ? Eh bien oui, parce que vous leur adressiez des sourires qui auraient dû m'être destinés. A la seconde où je vous ai vue descendre du train, j'étais perdu, ensorcelé, et je me suis débattu comme un diable contre ce qui voulait m'enchaîner. Cet esclavage est peut-être la liberté, après tout.

Il lui caressa les cheveux.

— Ah, Serenity, *je t'aime*.

Elle le regarda, stupéfaite.

— Voudriez-vous répéter ? lui demanda-t-elle, la gorge nouée.

Il sourit et lui effleura les lèvres d'un léger baiser.

— En anglais ? Je t'aime, Serenity. Je t'ai aimée à la seconde où je t'ai vue, je t'aime infiniment plus aujourd'hui, et je t'aimerai jusqu'à la fin de mes jours.

Il l'embrassa encore, avec une tendresse inattendue, et ne s'écarta qu'en sentant les larmes qui ruisselaient sur son visage.

— Pourquoi pleures-tu ? lui demanda-t-il, inquiet et contrarié. Qu'ai-je fait ?

— Rien, répondit-elle en secouant la tête, c'est seulement que… Oh ! je t'aime tant, Christophe, et je croyais…

Elle hésita et prit une profonde inspiration.

— Christophe, crois-tu en l'innocence de mon père, ou me prends-tu pour la fille d'un voleur ?

Il l'observa attentivement.

— Je vais te dire ce que je sais, Serenity, répondit-il enfin. Et puis ce que je crois. Je sais que je t'aime, et je n'aime pas seulement l'ange qui est descendu du train à Lannion, mais la femme que j'ai appris à connaître. Que ton père soit un voleur, un escroc ou un assassin, n'y changerait rien. Je t'ai entendue parler de lui, j'ai vu ton regard quand tu le faisais. Je ne peux pas croire qu'un homme capable d'inspirer autant d'amour et d'admiration ait pu commettre un tel crime. Voilà ce que je crois, mais cela n'a aucune importance. Rien de ce qu'il a pu faire ou non changera l'amour que j'ai pour toi.

— Oh ! Christophe, murmura-t-elle en se serrant

contre lui, j'ai attendu toute ma vie quelqu'un comme toi.

Elle s'écarta.

— Je dois te montrer quelque chose, reprit-elle en sortant la lettre de sa poche pour la lui tendre. Mon père me dit de me laisser guider par mon cœur, mais c'est à toi qu'il appartient désormais.

Elle s'assit face à lui, et le regarda commencer sa lecture, tandis qu'un profond sentiment de paix, un bonheur qu'elle n'avait pas ressenti depuis la mort de ses parents, l'envahissait. L'amour qu'elle éprouvait pour Christophe, épanoui par l'aveu qu'il venait de lui faire, la comblait, et avec cet amour elle sentait naître une confiance, une force dans lesquelles elle savait pouvoir puiser pour prendre la décision qui lui incombait. Autour d'eux, la forêt, calme et silencieuse, n'était troublée que par le murmure de la brise dans les feuillages et le chant des oiseaux. Elle avait l'impression d'être hors du temps.

Sa lecture achevée, Christophe leva les yeux sur elle.

— Ton père aimait beaucoup ta mère.

— Oui.

Il plia la lettre, la replaça dans son enveloppe, sans la quitter des yeux.

— J'aurais aimé le connaître. Je n'étais qu'un enfant lorsqu'il est venu au château, et il n'y est pas resté longtemps.

— Que devons-nous faire ? lui demanda-t-elle.

Il prit son visage entre ses mains.

— Nous devons montrer cette lettre à grand-mère, Serenity.

— Mais ils sont morts et elle est en vie. Je l'aime ; je ne veux pas la faire souffrir.

Il se pencha et embrassa ses yeux humides.

— Je t'aime, Serenity, pour de nombreuses raisons, et tu viens juste de m'en donner une autre.

Il s'écarta et planta les yeux dans son regard.

— Ecoute-moi, *mon amour*, et fais-moi confiance. Grand-mère a besoin de lire cette lettre, pour recouvrer la paix. Elle pense que sa fille l'a trahie, et volée. Cette souffrance l'habite depuis vingt-cinq ans. Cette lettre va la libérer. Elle lira, à travers ton père, l'amour que Gaelle avait pour elle et, tout aussi important, elle va comprendre tout l'amour que ton père avait pour sa fille. Quant à lui, il a vécu considéré à tort comme un voleur par la mère de sa femme. Il est temps de les libérer tous de ce fardeau.

— Très bien. Si tu penses que c'est ce que nous devons faire, nous allons le faire.

Il lui sourit, lui embrassa les mains et l'aida à se relever.

— J'ai tout de même une question, *cousine*, reprit-il en affichant son air moqueur habituel, feras-tu toujours ce que je dis ?

— Non, répliqua-t-elle en secouant vigoureuse-ment la tête. Certainement pas.

— Ah, c'est bien ce que je pensais.

Il l'entraîna vers leurs chevaux.

— La vie ne va pas être ennuyeuse.

Il lui tint les rênes, tandis qu'elle montait en selle, et les lui tendit avec un faux air contrarié.

— Tu es fâcheusement indépendante, têtue et impulsive, mais je t'aime.

— Et toi, répliqua-t-elle alors qu'il montait sur son étalon, tu es arrogant, autoritaire et insupportablement sûr de toi, mais je t'aime également.

Parvenus aux écuries, après avoir laissé leurs montures au palefrenier, ils se dirigèrent vers le château main dans la main. Avant d'arriver dans la cour, Christophe s'arrêta et se tourna vers elle.

— C'est à toi de donner cette lettre à grand-mère, dit-il en sortant l'enveloppe de sa poche.

— Oui, je sais.

Elle baissa les yeux sur l'enveloppe et les releva vers lui.

— Mais tu restes avec moi ?

— *Bien sûr,* la rassura-t-il en la prenant dans ses bras. Je reste avec toi.

Il déposa un baiser sur ses lèvres, et elle passa les bras autour de son cou. Ils s'embrassèrent, noyés dans leur amour, oubliant le monde extérieur.

— *Alors, mes enfants.*

La voix de la comtesse, à la lisière du parc, les tira de leur envoûtement.

— Je vois que vous avez décidé de ne plus lutter contre l'inévitable.

— Tu es rusée, *grand-mère*, lui répondit Christophe avec un sourire amusé, mais je pense que nous nous serions débrouillés, même sans ton précieux concours.

La comtesse, pleine d'élégante désinvolture, haussa les épaules.

— Sans doute, mais vous auriez perdu beaucoup trop de temps, et le temps est une ressource précieuse.

— Viens, *grand-mère*, Serenity a quelque chose à te montrer.

Ils se rejoignirent sur le perron et s'en allèrent dans le salon. La comtesse, intriguée, prit place sur son fauteuil.

— De quoi s'agit-il, *ma petite* ?

— *Grand-mère*, commença-t-elle en venant devant elle, Tony m'a apporté des papiers de la part de mon avocat. Je ne les ai regardés que ce matin, après son départ, et, quand je l'ai fait, je me suis aperçue qu'ils étaient beaucoup plus importants que je le croyais.

Elle sortit la lettre.

— Avant que vous ne lisiez ceci, je veux que vous sachiez que je vous aime.

Voyant sa grand-mère ouvrir la bouche, elle se hâta d'ajouter :

— J'aime Christophe, et il m'a dit, avant de lire cette lettre, qu'il m'aimait lui aussi. Vous ne pouvez pas savoir à quel point je suis heureuse qu'il me l'ait dit avant. Quand il l'a lue, nous avons décidé de partager son contenu avec vous, parce que nous vous aimons.

Elle tendit la lettre à sa grand-mère et s'assit sur

le canapé. Christophe vint la rejoindre et lui prit la main.

Elle glissa les yeux sur le portrait de sa mère. Son regard débordant de lumière et de bonheur était celui d'une femme aimée. *Moi aussi, j'ai trouvé l'amour, maman*, lui dit-elle silencieusement avant de baisser les yeux sur ses mains jointes à celles de Christophe.

Au cœur de leurs doigts enlacés — ceux de Christophe forts et bronzés, les siens d'albâtre —, brillait le rubis de la bague qui avait autrefois appartenu à sa mère.

Elle releva les yeux sur le bijou du tableau et comprit subitement la nature du détail qui l'avait intriguée la première fois qu'elle avait vu ce portrait. Mais la comtesse, qui se levait, interrompit ses réflexions.

— Pendant vingt-cinq ans, j'ai condamné cet homme et la fille que j'aimais.

Elle parlait d'une voix douce, le regard tourné vers la fenêtre.

— L'orgueil m'a aveuglée et durci le cœur.

— Vous ne saviez rien, *grand-mère*, intervint Serenity, le cœur serré devant la silhouette tendue qui lui tournait le dos. Ils voulaient seulement vous protéger.

— Pour me protéger d'un vol commis par mon mari, reprit sa grand-mère, et me protéger de l'humiliation d'un scandale, votre père s'est laissé accuser et ma fille a renoncé à son héritage.

Elle revint vers son fauteuil et s'assit, accablée.

— Je sens, dans les mots de votre père, un amour très profond. Dites-moi, Serenity, ma fille était-elle heureuse ?

— Regardez ses yeux peints par mon père, répondit-elle en lui désignant le tableau. Ce regard a toujours été le sien.

— Comment pourrais-je me pardonner ?

— Oh ! non, *grand-mère*, s'exclama Serenity en se précipitant à ses genoux pour lui prendre la main. Je ne vous ai pas donné cette lettre pour vous accabler, mais pour alléger votre chagrin. Vous l'avez lue ; ils ne vous ont jamais adressé aucun reproche ; c'est à dessein qu'ils vous ont laissée croire à leur trahison. Ils ont peut-être eu tort, mais c'est fait, et on ne peut pas revenir en arrière.

Serenity serra, avec plus de force, la main fragile dans la sienne.

— Aujourd'hui, c'est à moi de vous dire que je ne vous reproche rien, et je vous supplie, pour mon bonheur, d'oublier la culpabilité.

— Ah, Serenity, *ma chère enfant*, dit la comtesse d'une voix aussi tendre que son regard. *Très bien*, reprit-elle en se redressant. Nous ne nous souviendrons que des moments heureux. Vous allez me parler de la vie de Gaelle avec votre père, dans cette ville de Georgetown, et grâce à vous je vais me sentir proche d'eux, *n'est-ce pas ?*

— *Oui*, *grand-mère*.

— Peut-être un jour m'amènerez-vous dans cette maison où vous avez grandi.

— Aux Etats-Unis ? s'étonna-t-elle. Vous ne craignez pas de vous rendre dans un pays aussi barbare ?

— Attention, jeune fille, vous vous montrez de nouveau insolente, déclara sa grand-mère en se levant avec majesté. Je commence à croire que je vais très bien connaître votre père à travers vous.

La comtesse secoua la tête.

— Quand je pense à ce que ce Raphaël m'a coûté ! Je suis heureuse d'en être débarrassée.

— Vous avez toujours la copie, *grand-mère*, avança Serenity. Je sais où elle se trouve.

— Tu sais où elle se trouve ? fit Christophe, l'air stupéfié. Comment le sais-tu ?

Elle se tourna et lui sourit.

— Mon père le dit dans sa lettre, mais je ne l'ai pas compris tout de suite. C'est en voyant nos mains enlacées sur le canapé tout à l'heure que ça m'est tout à coup apparu. Regarde, dit-elle en tendant la main pour lui montrer son rubis. Cette bague était à ma mère, elle la porte sur le tableau.

— Je l'avais remarquée, dit la comtesse, pensive, mais Gaelle n'avait pas ce genre de bagues. Je pensais que votre père l'avait ajoutée pour rappeler ses boucles d'oreilles.

— Non, *grand-mère*, cette bague était la sienne ; c'est sa bague de fiançailles. Elle la portait toujours avec son alliance, à la main gauche.

— Mais quel rapport avec le Raphaël ? demanda Christophe, perplexe.

— Sur le portrait, ma mère porte cette bague à la main droite. Mon père n'aurait jamais commis une telle erreur, à moins de le faire exprès.

— C'est possible, murmura la comtesse.

— Ce détail m'a frappée, le premier jour, mais je n'ai pas compris pourquoi. Je sais maintenant ! Je sais que la copie du Raphaël est sous le portrait de ma mère ; mon père le dit dans sa lettre. Il dit que le faux est dissimulé sous quelque chose d'infiniment plus précieux. Or rien n'était plus précieux pour lui que maman. Il a peint son portrait sur la copie du Raphaël !

— *Oui,* opina la comtesse en observant le portrait de sa fille. Il n'aurait pu trouver de meilleure cachette.

— On peut le vérifier, proposa Serenity. Je peux découvrir un coin du tableau ; comme cela, vous seriez sûre.

— *Non,* répliqua aussitôt sa grand-mère. *Non,* c'est inutile. Je ne vous laisserai pas abîmer un centimètre du tableau de votre père, l'original fût-il dessous.

Elle posa la main sur la joue de sa petite-fille.

— Désormais, *mon enfant,* ce portrait, Christophe et vous, êtes mes seuls et uniques trésors. Laissons le passé au passé.

Elle les considéra tous les deux avec affection.

— Bien, je vous laisse, à présent. Les amoureux ont besoin d'intimité.

Elle quitta la pièce d'une démarche de reine, sous le regard admiratif de Serenity.

— Elle est magnifique, n'est-ce pas ?

— *Oui*, approuva Christophe en la prenant dans ses bras. Elle est impressionnante, magnifique, et aussi sage que rusée. Et cela fait bien une heure que je ne t'ai pas embrassée.

Il remédia à cette lacune, à leur plus grand bonheur à tous les deux, puis la considéra de son air habituellement sûr de lui.

— Une fois que nous serons mariés, *mon amour,* je ferai faire ton portrait, et nous aurons un nouveau trésor au château.

— Mariés ? répliqua-t-elle aussitôt. Je n'ai jamais accepté de t'épouser.

Elle le repoussa.

— Si tu crois que je vais t'obéir ! Une femme apprécie d'être demandée en mariage.

Il l'attira contre lui et l'embrassa avec fougue.

— Tu disais, *cousine* ? reprit-il en s'écartant.

Elle lui passa les bras autour du cou et le regarda très sérieusement.

— Je ne serai jamais une aristocrate, le prévint-elle.

— Je l'espère bien, affirma-t-il avec chaleur.

— Nous risquons de nous disputer souvent, et je ne cesserai de t'exaspérer.

— Pour mon plus grand bonheur.

— Très bien, dit-elle en faisant mine de se résigner. J'accepte de t'épouser... à une condition.

— Laquelle ? demanda-t-il, surpris.

— Que tu m'emmènes dans le parc, ce soir.

Avec un sourire, elle l'attira contre elle.

— J'en ai assez de me promener au clair de lune en compagnie d'un homme qui n'est pas toi.

# Dès le 1<sup>er</sup> novembre,
# 5 romans à découvrir dans la

## L'honneur d'une famille  -  *La saga des Calhoun*

Beau, et surtout terriblement séduisant… L'inconnu qu'elle vient de sauver in extremis de la noyade trouble Lila au plus haut point. Qui est cet homme ? Et que faisait-il en pleine mer, tandis qu'un violent orage éclatait au-dessus des Tours, la demeure familiale des Calhoun ? Il prétend avoir perdu la mémoire et l'ignorer… Lila ne peut pourtant s'empêcher de se demander s'il ne cherche pas à la manipuler : il ne serait pas le premier à tenter de s'introduire dans le manoir afin d'y dérober le somptueux collier d'émeraudes de Bianca Calhoun, l'aïeule de la famille. Un bijou que Lila et ses sœurs n'ont jamais vu, mais dont elles ont désormais la certitude qu'il a autrefois été caché ici… Alors, doit-elle proposer l'hospitalité à son beau naufragé, ou au contraire le faire déguerpir au plus vite ? Incapable de choisir, Lila se jure de tout faire pour garder la tête froide en présence de cet homme qui éveille en elle une foule de sentiments nouveaux – mélange incontrôlable d'inquiétude et de folle attirance…

## Le rivage des brumes  -  *Le clan des Donovan*

Nash Kirkland, célibataire convaincu et jeune scénariste à succès, s'est fait une spécialité d'écrire des histoires d'amour. Mais jamais, même dans le plus fou de ses rêves, il n'a imaginé, lui, l'homme secret et solitaire, qu'il rencontrerait un jour une femme comme Morgana. Aussi belle et envoûtante que son Irlande natale, aussi lumineuse qu'un matin de printemps… et capable, d'un seul sourire, de l'attirer dans sa maison au bord de l'océan et d'agir sur lui comme le plus puissant des philtres d'amour.

Mais alors que la confiance et l'intimité grandissent entre eux, Nash est bientôt rattrapé par son passé. Un passé sombre et tumultueux, qui lui rappelle sans cesse à quel point il est dangereux d'aimer… Terriblement blessée par son brusque changement d'attitude, la fière Morgana s'enfuit en Irlande sans lui laisser la moindre chance de la revoir un jour…

collection NORA ROBERTS

## Le secret de Kergallen

Un pays qu'elle n'a jamais visité. Et une grand-mère dont elle ignorait l'existence quelques jours plus tôt encore… Alors qu'elle vient de quitter les Etats-Unis pour se rendre en Bretagne, où vit son aïeule, Serenity s'en fait la promesse : elle renouera avec ses racines, et lèvera le voile sur les troublants secrets que ses parents lui avaient cachés. Pourtant, loin de se passer comme elle l'avait imaginé, son arrivée en France est une véritable douche froide. Le château où vit sa grand-mère appartient à un certain Christophe de Kergallen, un homme impétueux, provocateur et terriblement désagréable qui lui annonce d'emblée voir sa venue ici d'un très mauvais œil. D'abord désemparée, Serenity ne tarde pourtant pas à se révolter. Hors de question qu'elle se laisse dicter sa conduite par cet aristocrate arrogant ! Même s'il est incroyablement envoûtant…

## La proie - *Série Enquêtes à Denver*

Appelée en pleine nuit sur une scène de crime afin d'identifier le corps d'un indic avec lequel elle travaillait, l'inspecteur Althea Grayson ne peut cacher son amertume : cet homme était le seul à pouvoir la renseigner sur la terrible affaire d'enlèvement d'adolescentes et de prostitution dont elle vient d'être chargée. Profondément révoltée par le sort réservé à ces jeunes filles, Althea a décidé de tout mettre en œuvre pour déjouer ce réseau sordide. Et son enquête s'annonce d'autant plus délicate qu'elle doit collaborer avec Colt Nightshade, un détective résolu à retrouver la fille de l'un de ses amis, qu'il pense être victime de ce trafic. Althea peut-elle se fier à cet homme arrogant et mystérieux ? Lui, en tout cas, semble déterminé à ne pas la lâcher d'une semelle. Sans doute parce que personne ne connaît mieux qu'elle les quartiers dangereux de Denver… Des ruelles étroites et sinistres au détour desquelles ils pourraient bien se retrouver tous deux piégés.

## Une passion interdite

Snob et intellectuel : Booth deWitt est exactement le genre d'homme qu'une femme comme Ariel, franche et passionnée, devrait fuir. Et pourtant, bien malgré elle, il pique sa curiosité. Pis, elle doit se l'avouer : il l'attire. Comment, dans ces conditions, se concentrer sur le tournage qui les réunit, elle, la jeune actrice enchantée d'avoir décroché son premier grand rôle, et lui, le scénariste dont le talent n'est plus à prouver ? Ariel a beau essayer de se raisonner en se répétant que Booth s'est inspiré de l'échec de son propre mariage pour écrire son synopsis et qu'il n'a certainement aucune envie de s'engager dans une quelconque histoire, rien n'y fait : son désir pour lui grandit jour après jour. Un désir qu'elle doit trouver la force de lui cacher, si elle ne veut pas être cruellement rejetée…

Prochain rendez-vous le 1er février 2015

**Best-Sellers n°621 • *suspense***

## Le secret de la nuit - Amanda Stevens

Au loin, elle aperçoit la silhouette familière d'un homme se diriger vers elle. Malgré le masque d'assurance qu'elle s'efforce d'afficher, Amelia Gray se sent blêmir. Robert Fremont est de retour. Une fois encore, cet ancien policier aux yeux constamment dissimulés derrière d'opaques lunettes de soleil est venu lui demander son aide. Pourquoi l'a-t-il choisie elle, simple restauratrice de cimetières, pour tenter d'élucider le meurtre qui a ébranlé la ville dix ans plus tôt ? Amelia ne le sait que trop bien, hélas : Fremont est le seul à avoir perçu le don terrible et étrange qu'elle cache depuis l'enfance… Bien que désemparée, elle accepte la mission qu'il lui confie. Mais tandis que ses recherches la mènent dans les quartiers obscurs de Charleston, elle comprend bientôt qu'elle n'a plus le choix. Si elle veut remporter la terrible course contre la montre dans laquelle elle s'est lancée, elle va devoir solliciter le concours de l'inspecteur John Devlin. Cet homme sombre et tourmenté dont elle est profondément amoureuse mais qu'elle doit à tout prix se contenter d'aimer de loin…

**Best-Sellers n°622 • *suspense***

## Neige mortelle - Karen Harper

Un cadavre de femme, retrouvé enseveli sous la neige. Puis, quelques jours plus tard, une autre femme, découverte assassinée à deux pas de chez elle… Comme tous les autres habitants de la petite communauté de Home Valley où elle vit, Lydia Brand est bouleversée. Ces décès inexpliqués sont-ils de simples coïncidences ? Au plus profond de son cœur, Lydia est persuadée que non. Pire, elle éprouve le désagréable sentiment qu'ils sont intimement liés à l'enquête qu'elle mène pour retrouver ses parents biologiques… Cherche-t-on à l'empêcher de découvrir la vérité ?

Bien que gagnée peu à peu par la peur, Lydia se résout à vaincre ses réticences et à se confier à Josh Yoder, l'homme pour qui elle travaille… et qui fait battre son cœur en secret. Aussitôt sur le qui-vive, Josh lui en fait la promesse : il l'aidera à lever le voile sur ses origines, et la protègera de l'ennemi invisible qui la guette dans l'ombre.

**Best-Sellers n°623 • *thriller***

## Sur la piste du tueur - Alex Kava

A la vue du corps qui vient d'être déterré par la police sur une aire de repos de l'Interstate 29, dans l'Iowa, l'agent spécial du FBI Maggie O'Dell comprend qu'elle vient enfin de découvrir le lieu où le tueur en série qu'elle traque depuis un mois a enterré plusieurs de ses victimes.

Pour démasquer ce criminel psychopathe qui a fait des aires d'autoroute son macabre terrain de chasse, et l'empêcher de tuer de nouveau, Maggie est prête à tout mettre en œuvre. Et tant pis si pour cela, il lui faut accepter de collaborer avec Ryder Creed, un enquêteur spécialisé qu'elle a appelé en renfort. Un homme mystérieux qui la trouble beaucoup trop à son goût.

Mais tandis que Maggie se rapproche de la vérité, il devient de plus en plus clair que le tueur l'observe sans répit, et qu'elle pourrait bien être son ultime proie…

*Best-Sellers n°624 • roman*
## Noël à Icicle Falls - Sheila Roberts

*La magie de Noël va-t-elle opérer à Icicle Falls ?*

Tout avait pourtant si bien commencé… Cassie Wilkes, propriétaire de la petite pâtisserie d'Icicle Falls, doit pourtant l'admettre : si le repas familial qu'elle a préparé pour Thanksgiving frise la perfection absolue, il n'en va pas de même pour le reste de son existence. Loin de là. Sa fille unique ne vient-elle pas d'annoncer à table, devant tous les convives, qu'elle comptait se marier le week-end avant Noël (autant dire dans 5 minutes) avant de déménager dans une autre ville ? Pire, qu'elle voulait que son père (autrement dit son épouvantable ex-mari) la conduise à l'autel ? Déjà proche du KO, Cassie doit encaisser l'ultime mauvaise nouvelle de ce repas qui a décidément viré au cauchemar : son ex-mari, sa nouvelle femme et leur chien vont demeurer chez elle le temps des festivités.

Pour Cassie, cette période des fêtes sera à n'en pas douter pleine de surprises et de rebondissements…

*Best-Sellers n°625• historique*
## Séduite par le marquis - Kasey Michaels

*Londres, 1816*

Lorsque débute sa première saison à Londres, Nicole est aux anges. Elle a tant rêvé de ce moment ! Et certainement pas dans l'espoir de dénicher un mari, comme la plupart des jeunes filles. Non, tout ce qu'elle désire, c'est savourer le plaisir d'être enfin présentée dans le monde et de vivre des aventures passionnantes. Mais à peine arrivée à Londres, elle fait la connaissance d'un ami de son frère, le marquis Lucas Caine. Un gentleman séduisant et charismatique qui, elle le sent aussitôt, pourrait la faire renoncer à ses désirs d'indépendance si elle n'y prenait garde. Mais voilà que Lucas lui fait alors une folle proposition : se faire passer pour son fiancé afin de décourager les soupirants qui ne manqueront pas de se presser autour d'elle. Nicole est terriblement tentée. Grâce à ce stratagème, aucun importun n'osera lui parler de mariage ! Mais si ce plan la séduit, est-ce parce qu'il l'aidera à conserver sa liberté, ou parce qu'il la rapprochera un peu plus de ce troublant marquis ?

*Best-Sellers n°626 • roman*
## Avec vue sur le lac - Susan Wiggs

Etudes brillantes, parcours professionnel sans faute… Sonnet Romano s'efforce chaque jour de gagner la reconnaissance d'un père dont elle est « l'erreur de jeunesse », la fille illégitime. Une vie parfaite et sans vagues qui a un prix : Sonnet ne se sent jamais à sa place…

Mais voilà que le vent se lève en ce début d'été. Une nouvelle bouleversante pousse Sonnet à tout quitter — son poste à l'Unesco et la mission prestigieuse qu'on lui offre à l'étranger —, pour rentrer s'installer au lac des Saules, où elle a grandi. Là-bas, une épreuve l'attend. Une épreuve, mais aussi la chance inestimable d'une nouvelle existence. Portée par l'amour inconditionnel de ses amis, de sa mère adorée, de son beau-père qui l'a toujours soutenue, Sonnet va ouvrir les yeux. Sur la nécessité de sortir du carcan des apparences, sur la liberté de faire ses propres choix. Mais surtout sur la naissance de ses sentiments profonds et passionnés pour Zach, l'ami de toujours, l'homme qu'elle n'attendait pas…

# Recevez directement chez vous la

Oui, je souhaite recevoir directement chez moi les titres de la collection Nora Roberts cochés ci-dessous au prix de 7,70 € le volume. Je ne paie rien aujourd'hui, la facture sera jointe à mon colis.

    ❑ L'honneur d'une famille      NR00050

    ❑ Le rivage des brumes      NR00051

    ❑ Le secret des Kergallen      NR00052

    ❑ La proie      NR00053

    ❑ Une passion interdite      NR00054

+ 1,99 € de frais de port par colis

## RENVOYEZ CE BON À :

Service Lectrices Harlequin - BP 20008 - 59718 Lille Cedex 9
(01-45-82-47-47 du lundi au vendredi de 8h à 17 h )

**N° abonnée** (si vous en avez un)    |__|    |__|__|__|__|__|__|__|

M^me ❑    M^lle ❑    Prénom _____

Nom _____

Adresse _____

Code Postal |__|__|__|__|__|    Ville _____

Tél. |__|__||__|__||__|__||__|__||__|__| Date de naissance |__|__||__|__||__|__|__|__|

E-mail _____ @ _____

    ❑ oui je souhaite recevoir par e-mail les informations des éditions Harlequin
    ❑ oui je souhaite recevoir par e-mail les offres des partenaires des éditions Harlequin

Conformément à la loi Informatique et Libertés du 6 janvier 1978, vous disposez d'un droit d'accès et de rectification aux données personnelles vous concernant. Vos réponses sont indispensables pour mieux vous servir. Par notre intermédiaire, vous pouvez être amené à recevoir des propositions d'autres entreprises. Si vous ne le souhaitez pas, il vous suffit de nous écrire en nous indiquant vos nom, prénom, adresse et si possible votre référence client. Vous recevrez votre commande environ 20 jours après réception de ce bon.
<u>Offre réservée à la France métropolitaine, dans la limite des stocks disponibles.</u>
Prix susceptibles de changements.

Composé et édité par HARLEQUIN

Achevé d'imprimer en Italie (Milan)
par Rotolito Lombarda
en octobre 2014

Dépôt légal en novembre 2014